ÍNDICE DE AUTORES

EN LA ARDIENTE OSCURIDAD
—
UN SOÑADOR PARA UN PUEBLO

COLECCIÓN AUSTRAL
N.º 1510

ANTONIO BUERO VALLEJO

EN LA ARDIENTE OSCURIDAD

UN SOÑADOR PARA UN PUEBLO

SEXTA EDICIÓN

ESPASA-CALPE, S. A.
MADRID

Ediciones especialmente autorizadas por el autor para la

COLECCIÓN AUSTRAL

Primera edición: 2 - X - 1972
Segunda edición: 14 - I - 1975
Tercera edición: 10 - VI - 1977
Cuarta edición: 24 - V - 1978
Quinta edición: 11 - XII - 1979
Sexta edición: 1 - X - 1981

© *Antonio Buero Vallejo, 1950, 1958*

—

Depósito legal: M. 30.041—1981

ISBN 84—239—1510—7

Impreso en España
Printed in Spain

Acabado de imprimir el día 1 de octubre de 1981

Talleres gráficos de la Editorial Espasa-Calpe, S. A.
Carretera de Irún, km. 12,200. Madrid-34

ÍNDICE

EN LA ARDIENTE OSCURIDAD

Y la luz en las tinieblas resplandece;
mas las tinieblas no la comprendieron.

(JUAN, I, 5.)

La sombra es el nidal íntimo, incandescente,
la visible ceguera puesta sobre quien ama.
Provoca los abrazos íntima, ciegamente,
y recoge en sus cuevas cuanto la luz derrama.

(MIGUEL HERNÁNDEZ: Hijo de la sombra.)

Esta obra se estrenó en Madrid, la noche del 1 de diciembre de 1950, en el Teatro Nacional María Guerrero, con el siguiente

REPARTO

(Por orden de intervención.)

ELISA....................	*Amparo Gómez Ramos.*
ANDRÉS..................	*Miguel Ángel.*
PEDRO....................	*F. Pérez Ángel.*
LOLITA...................	*Berta Riaza.*
ALBERTO.................	*Manuel Márquez.*
CARLOS..................	*Adolfo Marsillach.*
JUANA....................	*Mari Carmen Díaz de Mendoza.*
MIGUELÍN................	*Ricardo Lucia.*
ESPERANZA...............	*Mayra O'Wissiedo.*
IGNACIO..................	*José María Rodero.*
DON PABLO..............	*Rafael Alonso.*
EL PADRE................	*Gabriel Miranda.*
DOÑA PEPITA............	*Pilar Muñoz.*

Derecha e izquierda, las del espectador.

Dirección: LUIS ESCOBAR y HUBERTO PÉREZ DE LA OSSA.
Decorados: FERNANDO RIVERO.
Luminotecnia: M. ROMARATE.

A C T O   P R I M E R O

Fumadero en un moderno centro de enseñanza: lugar semiabierto de tertulia para el buen tiempo. A la izquierda del foro, portalada que da a la terraza. Al fondo se divisa la barandilla de ésta, bajo la cual se supone el campo de deportes. Las ramas de los copudos árboles que en él hay se abren tras la barandilla, cuajadas de frondoso follaje, que da al ambiente una gozosa claridad submarina. Sobre una liviana construcción de cemento, enormes cristaleras, tras las que se divisa la terraza, separan a ésta de la escena, dejando el hueco de la portalada. En el primer término izquierdo hay un veladorcito y varios sillones y sillas. En el centro, cerca del foro, un sofá y dos sillones alrededor de otro veladorcito. Junto al lateral derecho, otro velador aislado con un sillón. Ceniceros en los tres veladores. Las cristaleras doblan y continúan fuera de escena, a la mitad del lateral izquierdo, formando la entrada de una galería. En el lateral derecho, una puerta.

(*Cómoda y plácidamente sentados, fumando algunos de ellos, vemos allí a ocho jóvenes estudiantes pulcramente vestidos. No obstante su aire risueño y atento, hay algo en su aspecto que nos extraña, y una observación más detenida nos permite comprender que todos son ciegos. Algunos llevan gafas negras, para velar, sin duda, un espectáculo de-*

*masiado desagradable a los demás; o, tal
vez, por simple coquetería. Son ciegos jóvenes y felices, al parecer; tan seguros de sí
mismos que, cuando se levantan, caminan
con facilidad y se localizan admirablemente,
apenas sin vacilaciones o tanteos. La ilusión
de normalidad es, con frecuencia, completa,
y el espectador acabaría por olvidar la desgracia física que los aqueja, si no fuese por
un detalle irreductible, que a veces se la hace
recordar: estas gentes nunca se enfrentan con
la cara de su interlocutor.*
CARLOS y JUANA *ocupan los sillones de la izquierda. Él es un muchacho fuerte y san-
guíneo, de agradable y enérgica expresión.
Atildado indumento en color claro, cuello
duro. Ella es linda y dulce.* ELISA *ocupa el
sillón de la derecha. Es una muchacha de
físico vulgar y de espíritu abierto, simple y
claro. En el sofá están los estudiantes* AN-
DRÉS, PEDRO y ALBERTO, *y en los sillones con-
tiguos, las estudiantes* LOLITA y ESPERANZA.)

ELISA.—*(Impaciente.)* ¿Qué hora es, muchachos? *(Casi
todos ríen, expansivos, como si hubiesen estado esperando la pregunta.)* No sé por qué os reís. ¿Es que no se
puede preguntar la hora? *(Las risas arrecian.)* Está bien.
Me callo.

ANDRÉS.—Hace un rato que dieron las diez y media.

PEDRO.—Y la apertura del curso es a las once.

ELISA.—Yo os preguntaba si habían dado ya los tres
cuartos.

LOLITA.—Hace un rato que nos lo has preguntado por
tercera vez.

ELISA.—*(Furiosa.)* Pero ¿han dado o no?

ALBERTO.—*(Humorístico.)* ¡Ah! No sabemos...

ELISA.—¡Sois odiosos!

CARLOS.—*(Con ironía.)* Ya está bien. No os metáis con ella. Pobrecilla.

ELISA.—¡Yo no soy pobrecilla!

JUANA.—*(Dulce.)* Todavía no dieron los tres cuartos, Elisa.

> (MIGUELÍN, *un estudiante jovencito y vivaz, que lleva gafas oscuras, porque sabe por experiencia que su vivacidad es penosa cuando las personas que ven la contrastan con sus ojos muertos, aparece por la portalada.*)

ANDRÉS.—Tranquilízate. Ya sabes que Miguelín llega siempre a todo con los minutos contados.

ELISA.—¿Y quién pregunta por Miguelín?

MIGUEL.—*(Cómicamente compungido.)* Si nadie pregunta por Miguelín, lloraré.

ELISA.—*(Levantándose de golpe.)* ¡Miguelín!

> (*Corre a echarse en sus brazos, mientras los demás acogen al recién llegado con cariñosos saludos. Todos, menos* CARLOS *y* JUANA, *se levantan y se acercan para estrechar su mano.*)

ANDRÉS.—¡Caramba, Miguelín!

PEDRO.—¡Ya era hora!

LOLITA.—¡La tenías en un puño!

ESPERANZA.—¿Qué tal te ha ido?

ALBERTO.—¿Cómo estás?

> (*Sin soltar a* ELISA, MIGUELÍN *avanza decidido hacia el sofá.*)

CARLOS.—¿Ya no te acuerdas de los amigos?

MIGUEL.—¡Carlos! *(Se acerca a darle la mano.)* Y Juana al lado, seguro.

JUANA.—Lo has acertado.

(Le da la mano.)

MIGUEL.—*(Volviendo a coger a* ELISA.*)* ¡Uf! Creí que
no llegaba a la apertura. Lo he pasado formidable, chicos; formidable. *(Se sienta en el sofá con* ELISA *a su lado.*
ANDRÉS *se sienta con ellos. Los demás se sientan también.)* ¡Pero tenía unas ganas de estar con vosotros! Es
mucha calle la calle, amigos. Aquí se respira. En cuanto
he llegado, ¡zas!, el bastón al conserje. «¿Llego tarde?»
«Aún faltan veinte minutos.» «Bien.» Saludos aquí y
allá... «¡Miguelín!» «Ya está aquí Miguelín.» Y es que
soy muy importante, no cabe duda.

(Risas generales.)

ELISA.—*(Convencida de ello.)* ¡Presumido!
MIGUEL.—Silencio. Se prohíbe interrumpir. Continúo.
«Miguelín, ¿a dónde vas?» «Miguelín, en la terraza está
Elisa...»
ELISA.—*(Avergonzada, le propina un pellizco.)* ¡Idiota!
MIGUEL.—*(Gritando.)* ¡Ay!... *(Risas.)* Continúo.
«¿Que a dónde voy? Con mi peña y a nuestro rincón.»
Y aquí me tenéis. *(Suspira.)* Bueno, ¿qué hacemos que
no nos vamos al paraninfo?

(Intenta levantarse.)

LOLITA.—No empieces tú ahora. Sobra tiempo.
ANDRÉS.—*(Reteniéndole.)* Cuenta, cuéntanos de tus
vacaciones.
ESPERANZA.—*(Batiendo palmas.)* Sí, sí. Cuenta.
ELISA.—*(Muy amoscada, batiendo palmas también.)*
Sí, sí. Cuéntaselo a la niña.
ESPERANZA.—*(Desconcertada.)* ¿Eso qué quiere decir?

ELISA.—*(Seca.)* Nada. Que también yo sé batir palmas.

(Los estudiantes ríen.)

ESPERANZA.—*(Molesta.)* ¡Bah!

MIGUEL.—Modérate, Elisita. Los señores quieren que les cuente de mis vacaciones. Pues atended.

(Los chicos se arrellanan, complacidos y dispuestos a oír algo divertido. MIGUELÍN empieza a reírse con zumba.)

PEDRO.—¡Empieza de una vez!

MIGUEL.—Atended. *(Riendo.)* Un día cojo mi bastón para salir a la calle, y... *(Se interrumpe. Con tono de sorpresa.)* ¿No oís algo?

ANDRÉS.—¡Sigue y no bromees!

MIGUEL.—¡Si no bromeo! Os digo que oigo algo raro. Oigo un bastón...

LOLITA.—*(Riendo.)* El tuyo; que lo tienes en los oídos todavía.

ELISA.—Continúa, tonto...

ALBERTO.—No bromea, no. Se oye un bastón.

JUANA.—También yo lo oigo.

(Todos atienden. Pausa. Por la derecha, tanteando el suelo con su bastón y con una expresión de vago susto, aparece IGNACIO. Es un muchacho delgaducho, serio y reconcentrado, con cierto desaliño en su persona: el cuello de la camisa desabrochado, la corbata floja, el cabello peinado con ligereza. Viste de negro, intemporalmente, durante toda la obra. Avanza unos pasos, indeciso, y se detiene.)

LOLITA.—¡Qué raro!

(IGNACIO se estremece y retrocede un paso.)

MIGUEL.—¿Quién eres?

> (*Temeroso*, IGNACIO *se vuelve para salir por donde entró. Después cambia de idea y sigue hacia la izquierda, rápido.*)

ANDRÉS.—¿No contestas?

> (IGNACIO *tropieza con el sillón de* JUANA. *Tiende el brazo y ella toma su mano.*)

MIGUEL.—(*Levantándose.*) ¡Espera, hombre! No te marches.

> (*Se acerca a palparle, mientras* JUANA *dice, inquieta:*)

JUANA.—Me ha cogido la mano… No le conozco.

> (IGNACIO *la suelta, y* MIGUELÍN *lo sujeta por un brazo.*)

MIGUEL.—Ni yo.

> (ANDRÉS *se levanta y se acerca también para cogerle por el otro brazo.*)

IGNACIO.—(*Con temor.*) Dejadme.
ANDRÉS.—¿Qué buscas aquí?
IGNACIO.—Nada. Dejadme. Yo… soy un pobre ciego.
LOLITA.—(*Riendo.*) Te ha salido un competidor, Miguelín.
ESPERANZA.—¿Un competidor? ¡Un maestro!
ALBERTO.—Debe de ser algún gracioso del primer curso.
MIGUEL.—Dejádmelo a mí. ¿Qué has dicho que eres?
IGNACIO.—(*Asustado.*) Un… ciego.
MIGUEL.—¡Oh, pobrecito, pobrecito! ¿Quiere que le

pase a la otra acera? (*Los demás se desternillan.*) ¡Largo, idiota! Vete a reír de los de tu curso.

ANDRÉS.—Realmente, la broma es de muy mal gusto. Anda, márchate.

> (*Lo empujan.* IGNACIO *retrocede hacia el proscenio.*)

IGNACIO.—(*Violento, quizá al borde del llanto.*) ¡Os digo que soy ciego!

MIGUEL.—¡Qué bien te has aprendido la palabrita! ¡Largo!

> (*Avanzan hacia él, amenazadores.* ALBERTO *se levanta también.*)

IGNACIO.—Pero ¿es que no lo veis?

MIGUEL.—¿Cómo?

> (JUANA y CARLOS, *que comentaban en voz baja el incidente, intervienen.*)

CARLOS.—Creo que estamos cometiendo un error muy grande, amigos. Él dice la verdad. Sentaos otra vez.

MIGUEL.—¡Atiza!

CARLOS.—(*Acercándose con* JUANA *a* IGNACIO.) Nosotros también somos... ciegos, como tú dices.

IGNACIO.—¿Vosotros?

JUANA.—Todos lo somos. ¿Es que no sabes dónde estás?

> (ELISA *toma del brazo a* MIGUELÍN, *que está desconcertado. Los estudiantes murmuran entre sí.* ANDRÉS y PEDRO *vuelven a sentarse. Todos atienden.*)

IGNACIO.—Sí lo sé. Pero no puedo creer que seáis... como yo.

CARLOS.—(*Sonriente.*) ¿Por qué?

IGNACIO.—Andáis con seguridad. Y me habláis...
como si me estuvieseis viendo.

CARLOS.—No tardarás tú también en hacerlo. Acabas
de venir, ¿verdad?

IGNACIO.—Sí.

CARLOS.—¿Solo?

IGNACIO.—No. Mi padre está en el despacho, con el
director.

JUANA.—¿Y te han dejado fuera?

IGNACIO.—El director dijo que saliera sin miedo. Mi
padre no quería, pero don Pablo dijo que saliese y que
anduviese por el edificio. Dijo que era lo mejor.

CARLOS.—*(Protector.)* Y es lo mejor. No tengas miedo.

IGNACIO.—*(Con orgullo.)* No lo tengo.

CARLOS.—Lo de aquí ha sido un incidente sin importancia. Es que Miguelín es demasiado alocado.

MIGUEL.—Dispensa, chico. Todo fue por causa de don
Pablo.

ALBERTO.—*(Riendo.)* La pedagogía.

MIGUEL.—Eso. Te ha aplicado la pedagogía desde el
primer minuto. Ya tendrás más encuentros con esa señora. No te preocupes.

> *(Se vuelve con* ELISA, *y ambos se sientan en
> los dos sillones de la izquierda. Se ponen a
> charlar, muy amartelados.)*

CARLOS.—Por esta vez es bastante. Si quieres te vol-
veremos al despacho.

IGNACIO.—Gracias. Sé ir yo solo. Adiós.

> *(Da unos pasos hacia el foro.)*

CARLOS.—*(Calmoso.)* No, no sabes... Por ahí se va a
la salida. *(Le coge afectuosamente del brazo y le hace
volver hacia la derecha. Pasivo y con la cabeza baja,*
IGNACIO *se deja conducir.)* Espérame aquí, Juana. Vuelvo en seguida.

JUANA.—Sí.

> *(Por la derecha aparecen* EL PADRE DE IGNA-
> CIO *y* DON PABLO, *director del Centro.* EL
> PADRE *entra con ansiosa rapidez, buscando a
> su hijo. Es un hombre agotado y prematura-
> mente envejecido, que viste con mezquina
> corrección de empleado. Sonriente y tranqui-
> lo, le sigue* DON PABLO, *señor de unos cin-
> cuenta años, con las sienes grises, en quien
> la edad no ha borrado un vago aire de in-
> fantil lozanía. Su vestido es serio y elegante.
> Usa gafas oscuras.)*

EL PADRE.—Aquí está Ignacio.

DON PABLO.—Ya le dije que lo encontraríamos. *(Risueño.)* Y en buena compañía, creo. Buenos días, muchachos.

> *(A su voz, todos los estudiantes se levantan.)*

ESTUDIANTES.—Buenos días, don Pablo.

> (EL PADRE *se acerca a su hijo y le coge, entre
> tímido y paternal, por el brazo.* IGNACIO *no se
> mueve, como si el contacto le disgustase.)*

CARLOS.—Ya hemos hecho conocimiento con Ignacio.

JUANA.—Carlos se lo llevaba ahora a ustedes.

DON PABLO.—*(Al padre.)* Como ve, no le ha pasado
nada. El chico ha encontrado en seguida amigos. Y de
los buenos; Carlos, que es uno de nuestros mejores alumnos, y Juana.

EL PADRE.—*(Corto.)* Encantado.

JUANA.—El gusto es nuestro.

DON PABLO.—Su hijo se encontrará bien entre nosotros, puede estar seguro. Aquí encontrará alegría, buenos
compañeros, juegos...

EL PADRE.—Sí, desde luego. Pero los juegos... ¡Los juegos que he visto son maravillosos, no hay duda! Nunca pude suponer que los ciegos pudiesen jugar al balón. ¡Y menos, deslizarse por un tobogán tan alto! *(Tímido.)* ¿Cree usted que mi Ignacio podrá hacer esas cosas sin peligro?

DON PABLO.—Ignacio hará eso y mucho más. No lo dude.

EL PADRE.—¿No se caerá?

DON PABLO.—¿Acaso se caen los otros?

EL PADRE.—Es que parece imposible que puedan jugar así, sin que haya que lamentar...

DON PABLO.—Ninguna desgracia; no, señor. Esas y otras distracciones llevan ya mucho tiempo entre nosotros.

EL PADRE.—Pero todos estos chicos —¡pobrecillos!— son ciegos. ¡No ven nada!

DON PABLO.—En cambio oyen y se orientan mejor que usted. *(Los estudiantes asienten con rumores.)* Por otra parte..., *(Irónico.)* no crea que es muy adecuado calificarlos de pobrecillos... ¿No le parece, Andrés?

ANDRÉS.—Usted lo ha dicho.

DON PABLO.—¿Y ustedes, Pedro, Alberto?

PEDRO.—Desde luego, no. No somos pobrecillos.

ALBERTO.—Todo, menos eso.

LOLITA.—Si usted nos permite, don Pablo...

DON PABLO.—Sí, diga.

LOLITA.—*(Entre risas.)* Nada. Que Esperanza y yo pensamos lo mismo.

EL PADRE.—Perdonen.

DON PABLO.—Perdónenos a nosotros por lo que parece una censura y no es más que una explicación. Los ciegos o, simplemente, los invidentes, como nosotros decimos, podemos llegar donde llegue cualquiera. Ocupamos empleos, puestos importantes en el periodismo y en la literatura, cátedras... Somos fuertes, saludables, sociables... Poseemos una moral de acero. Por lo demás, no son éstas conversaciones a las que ellos estén acostumbrados. *(A los demás.)* Creo que los más listos de ustedes podrían ir ya tomando sitio en el paraninfo. Falta poco para las once. *(Risueño.)* Es un aviso leal.

ANDRÉS.—Gracias, don Pablo. Vámonos, muchachos.

> (ANDRÉS, PEDRO, ALBERTO y *las dos estudiantes desfilan por la izquierda.*)

ESTUDIANTES.—Buenos días. Buenos días, don Pablo.
DON PABLO.—Hasta ahora, hijos, hasta ahora.

> *(Los estudiantes salen.* ELISA *trata de imitarlos, pero* MIGUELÍN *tira de su brazo y la obliga a sentarse. Con las manos enlazadas vuelven a engolfarse en su charla.* JUANA y CARLOS *permanecen de pie, a la izquierda, atendiendo a* DON PABLO. *Breve pausa.)*

EL PADRE.—Estoy avergonzado. Yo...
DON PABLO.—No tiene importancia. Usted viene con los prejuicios de las gentes que nos desconocen. Usted, por ejemplo, creerá que nosotros no nos casamos...
EL PADRE.—Nada de eso... Entre ustedes, naturalmente...
DON PABLO.—No, señor. Los matrimonios entre personas que ven y personas que no ven abundan cada día más. Yo mismo...
EL PADRE.—¿Usted?
DON PABLO.—Sí. Yo soy invidente de nacimiento y estoy casado con una vidente.
IGNACIO.—*(Con lento asombro.)* ¿Una vidente?
EL PADRE.—¿Así nos llaman ustedes?
DON PABLO.—Sí, señor.
EL PADRE.—Perdone, pero... como nosotros llamamos videntes a los que dicen gozar de doble vista...
DON PABLO.—*(Algo seco.)* Naturalmente. Pero noso-

tros, forzosamente más modestos, llamamos así a los que tienen, simplemente, vista.

EL PADRE.—*(Que no sabe dónde meterse.)* Dispense una vez más.

DON PABLO.—No hay nada que dispensar. Me encantaría presentarle a mi esposa, pero no ha llegado aún. Ignacio la conocerá de todos modos, porque es mi secretaria.

EL PADRE.—Otro día será. Bien, Ignacio, hijo... Me marcho contento de dejarte en tan buen lugar. No dudo que te agradará vivir aquí. *(Silencio de* IGNACIO. *A* CARLOS *y* JUANA.) Y ustedes, se lo ruego: ¡levántenle el ánimo! *(Con inhábil jocosidad.)* Infúndanle esa moral de acero que les caracteriza.

IGNACIO.—*(Disgustado.)* Padre.

EL PADRE.—*(Abrazándole.)* Sí, hijo. De aquí saldrás hecho un hombre...

DON PABLO.—Ya lo creo. Todo un señor licenciado, dentro de pocos años.

> *(La tensión entre padre e hijo se disuelve.* CARLOS *interviene, tomando del brazo a* IGNACIO.*)*

CARLOS.—Si nos lo permiten, nos llevaremos a nuestro amigo.

EL PADRE.—Sí, con mucho gusto. *(Afectado.)* Adiós, Ignacio... Vendré... pronto... a verte.

IGNACIO.—*(Indiferente.)* Hasta pronto, padre.

> *(EL* PADRE *está muy afectado; mira a todos con ojos húmedos, que ellos no pueden ver. En sus movimientos muestra múltiples vacilaciones: volver a abrazar a su hijo, despedirse de los dos estudiantes, consultar a* DON PABLO *con una perruna mirada que se pierde en el aire.)*

Don Pablo.—¿Vamos?
El padre.—Sí, sí.

(Inician la marcha hacia el foro.)

Don Pablo.—*(Deteniéndose.)* Acompáñele ahora al paraninfo, Carlos. ¡Ah! Y preséntele a Miguelín, porque van a ser compañeros de habitación.
Carlos.—Descuide, don Pablo.

> (Don Pablo *acompaña al* Padre *a la puerta del fondo, por la que salen ambos, mientras le dice una serie de cosas a las que aquél atiende mal, preocupado como está en volverse con frecuencia a ver a su hijo, con una expresión cada vez más acongojada. Al fin, desaparecen tras la cristalera, por la derecha. Entretanto* Carlos, Ignacio *y* Juana *se sitúan en el primer término izquierdo.)*

Carlos.—¡Lástima que no vinieses antes! ¿Comienzas ahora la carrera?
Ignacio.—Sí. El preparatorio.
Carlos.—Juana y yo te ayudaremos. No repares en consultarnos cualquier dificultad que encuentres.
Juana.—Desde luego.
Carlos.—Bien. Ahora Miguelín te acomodará en vuestro cuarto. Antes debes aprenderte en seguida el edificio. Escucha: este rincón es nuestra peña, en la que desde ahora quedas admitido. Nada por en medio, *(Lo conduce.)* para no tropezar. Le daremos la vuelta, para que te aprendas los sillones y veladores. *(Los tres están ahora a la derecha.)* Pero debes abandonar en seguida el bastón. ¡No te hará falta!
Juana.—*(Tratando de quitárselo.)* Trae. Se lo daremos al conserje para que lo guarde.
Ignacio.—*(Que se resiste.)* No, no. Yo... soy algo

torpe para andar sin él. Y no os molestéis tampoco en enseñarme el edificio. No lo aprendería.

(*Un silencio.*)

CARLOS.—Perdona. A tu gusto. Aunque debes intentar vencer rápidamente esa torpeza... ¿No has estudiado en nuestro colegio elemental?

IGNACIO.—No.

JUANA.—¿No eres de nacimiento?

IGNACIO.—Sí. Pero... mi familia...

CARLOS.—Bien. No te importe. Todos aquí somos de nacimiento y hemos estudiado en nuestros centros, bajo la dirección de don Pablo.

JUANA.—¿Qué te ha parecido don Pablo?

IGNACIO.—Un hombre... absurdamente feliz.

CARLOS.—Como cualquiera que asistiese a la realización de sus mejores sueños de trabajo. Eso no es un absurdo.

JUANA.—Si te oyera doña Pepita...

CARLOS.—Ya conocerás a otros profesores no menos dichosos.

IGNACIO.—¿Ciegos también?

CARLOS.—Se dice invidentes... (*Pausa breve.*) Pues... según. El de Biología es invidente y está casado con la ayudante de Lenguas, que es vidente. También son videntes el de Física, el de...

IGNACIO.—Videntes...

JUANA.—Videntes. ¿Qué tiene de particular?

IGNACIO.—Oye, Carlos, y tú, Juana: ¿acaso es posible el matrimonio entre un ciego y una vidente?

CARLOS.—¿Tan raro te parece?

JUANA.—¡Si hay muchos!

IGNACIO.—¿Y entre un vidente y una ciega? (*Silencio.*) ¿Eh, Carlos? (*Pausa breve.*) ¿Juana?

CARLOS.—Juana y yo conocemos uno de viejos...

IGNACIO.—Uno.

JUANA.—Y el de Pepe y Luisita. ¡Bien felices son!

IGNACIO.—Dos.

CARLOS.—*(Sonriendo.)* Ignacio... No te ofendas, pero estás algo afectado por la novedad de encontrarte aquí. ¿Cómo diría yo? Algo... anormal... Serénate. En esta casa sobra alegría para ti y lo pasarás bien.

> *(Le da cordiales palmadas en el hombro. JUANA sonríe.)*

IGNACIO.—Puede que esté... anormal. Todos lo estamos.

CARLOS.—*(Sonriendo.)* Ya hablaremos de eso. Aquí hace falta Miguelín, ¿eh, Juana? Me parece que no se ha marchado. ¡Miguelín! (MIGUELÍN *atiende fastidiado, pero sin moverse.)* No te hagas el muerto. Sé que estás aquí.

> *(Tanteando, se dirige a él, que se aprieta contra ELISA. Al fin, entre risas, lo toca.)*

MIGUEL.—Ya te lo haré yo a ti cuando estés con Juana. ¿Qué pasa?

CARLOS.—Ven para acá.

MIGUEL.—No me da la gana.

CARLOS.—Ven y no hagas el tonto. Tengo que darte una orden de don Pablo.

MIGUEL.—*(Incorporándose con desgana.)* Si no sé puede considerar incluida Elisita en esa orden, no voy.

ELISA.—Podrías dejar de utilizarme para tus chistes, ¿no crees?

MIGUEL.—No. No creo.

JUANA.—Ven tú también, Elisa. Ya es hora de que estemos juntas algún ratito.

MIGUEL.—No hay remedio. *(Suspira.)* En fin, vamos allá. *(Con* ELISA *de su mano, y tras* CARLOS, *se acerca al grupo.)* Desembucha.

CARLOS.—*(A* IGNACIO.) Éste es Miguelín: el loco de la casa. El de antes. El rorro de la institución, nuestra

mascota de diecisiete años. Así y todo, un gran chico.
Elisita es su resignada niñera.

MIGUEL.—¡Complaciente! ¡Complaciente niñera!

ELISA.—¡Si pudieras callarte!

MIGUEL.—¡Es que no puedo!

CARLOS.—Vamos, dad la mano al nuevo.

MIGUEL.—(*Haciéndolo, a* ELISA.) Anda..., niñera...
Da la mano al nuevo.

> (ELISA *lo hace y no puede evitar un ligero
> estremecimiento.*)

CARLOS.—(*A* IGNACIO.) Miguelín será tu compañero
de cuarto por disposición superior. Si no congenias con
él dilo y le ajustaremos las cuentas.

IGNACIO.—¿Por qué no voy a congeniar? Los dos
somos ciegos.

> (JUANA y ELISA *se emparejan y hablan en-
> tre sí.*)

MIGUEL.—¿Oyes, Carlos? Cuando yo decía que es un
bromista...

IGNACIO.—Lo he dicho en serio.

MIGUEL.—¡Ah! ¿Sí?... Pues gracias. Aunque yo no
me considero muy desgraciado. Mi única desgracia es
tener que aguantar a...

ELISA.—(*Saltando.*) ¡Calla, estúpido! Ya sé por dónde vas.

> (*Todos ríen, menos* IGNACIO.)

MIGUEL.—Y mi mayor felicidad, que no hay ninguna
suegra preparada.

ELISA.—¡Bruto!

MIGUEL.—(*A las muchachas.*) ¿Por qué no seguís con
vuestros cotilleos? Estabais muy bien así. (*Ellas cuchi-
chean y ríen ahogadamente.*) ¡Las confidencias femeni-

nas, ¡Ignacio! Nada hay más terrible. (JUANA y ELISA *le pellizcan*.) ¡Ay! ¡Ay! ¿No lo dije? *(Risas.)* Muy bien. Carlos, Ignacio: propongo una huida en masa hacia la cantina, pero sin las chicas. ¡Hay cerveza!

CARLOS.—Aprobado.

JUANA.—Frente común, ¿eh? Ya te lo diré luego.

CARLOS.—Es un momento...

MIGUEL.—¡No capitules, cobarde! Y vámonos de prisa. ¡Damas! El que me corten ustedes a mí lo deseo de raso, con amplios vuelos y tahalí para el espadín. Carlos se conforma con un traje de baño.

JUANA.—¡Vete ya!

ELISA.—*(A la vez.)* ¡Tonto!

(Con IGNACIO en medio, se van los dos muchachos por la derecha.)

ELISA.—¡Hablemos!

JUANA.—¡Hablemos! *(Corren a sentarse, enlazadas, al sofá, en tanto que DON PABLO cruza tras los cristales y entra por la puerta del foro. Se acerca a las muchachas, escucha y se detiene a su lado.)* ¡Cuánto tiempo sin decirnos cosas!

ELISA.—Lo necesitaba como el pan.

DON PABLO.—¿Tal vez interrumpo?

JUANA.—Nada de eso. *(Se levantan las dos.)* Casi no habíamos empezado.

DON PABLO.—¿Y de qué iban a hablar? ¿Acaso del nuevo alumno?

ELISA.—A mí me parece... que íbamos a hablar de alumnos más antiguos.

JUANA.—*(Avergonzada.)* ¡Elisa!

DON PABLO.—*(Riendo.)* Una conversación muy agradable. *(Serio.)* Pero ha venido este viejo importuno y prefiere hablar del alumno nuevo. Supongo que Elisita ya lo conoce.

ELISA.—Sí, señor.

(Por la terraza ha cruzado DOÑA PEPITA, *que se detiene en la puerta. Cuarenta años. Trae una cartera de cuero bajo el brazo. Sonriente, contempla con cariño a su esposo.)*

DON PABLO.—*(Que la percibe inmediatamente y vuelve su mirada al vacío.)* Un momento... Mi mujer.

(Termina de volverse.)

DOÑA PEPITA.—*(Acercándose.)* Hola, Pablo. Dispénsame; ya sé que vengo algo retrasada.

DON PABLO.—*(Tomándole una mano, con una ternura que los años no parecen haber aminorado.)* Hueles muy bien hoy, Pepita.

DOÑA PEPITA.—Igual que siempre. Buenos días, señoritas. ¿Dónde dejaron a sus caballeros andantes?

ELISA.—Nos abandonaron por un nuevo amigote.

JUANA.—Pobre chico. Es simpático.

ELISA.—A mí no me lo es.

DON PABLO.—No hable así de un compañero, señorita. Y menos cuando aún no ha tenido tiempo de conocerlo. *(A* DOÑA PEPITA.*)* Carlos y Miguelín están acompañando a un alumno nuevo del preparatorio que acaban de traernos.

DOÑA PEPITA.—¡Ah!, ¿sí? ¿Qué tal chico es?

DON PABLO.—Ya has oído que a estas señoritas no les merece una opinión muy favorable.

JUANA.—¿Por qué no? Es que Elisa es muy precipitada.

DON PABLO.—Sí, un poco. Y, por eso mismo, les haré a las dos algunas recomendaciones.

JUANA.—¿Respecto a Ignacio?

DON PABLO.—Sí. *(A* DOÑA PEPITA.*)* Y, de paso, también tú te harás cargo de la cuestión.

DOÑA PEPITA.—¿Es algo grave?

Don Pablo.—Es lo de siempre. Falta de moral.

Doña Pepita.—El caso típico.

Don Pablo.—Típico. Quizás un poquitín complicado esta vez. Un muchacho triste, malogrado por el mal entendido amor de los padres. Mucho mimo, profesores particulares... Hijo único. En fin, ya lo comprendes. Es preciso, como en otras ocasiones, la ayuda inteligente de algunos estudiantes.

Juana.—Intentamos antes que abandonara el bastón, y no quiso. Dice que es muy torpe.

Don Pablo.—Pues hay que convencerle de que es un ser útil y de que tiene abiertos todos los caminos, si se atreve. Es cierto que aquí tiene el ejemplo, pero hay que administrárselo con tacto, y al talento de ustedes, señoritas, (*A* Juana.) y al de Carlos, muy particularmente, recomiendo la parte más importante: la creación de una camaradería verdadera que le alegre el corazón. No les será muy difícil... Los muchachos de este tipo están hambrientos de cariño y alegría y no suelen rechazarlos cuando se sabe romper sus murallas interiores.

Doña Pepita.—¿Por qué no lo pones de compañero de habitación con Miguelín?

Don Pablo.—(*Asintiendo, sonriente.*) Ya está hecho... Pero no es preciso, señorita Elisa, que Miguelín sea informado de esta recomendación mía. Si lo tomase como un encargo, le saldría mal.

Elisa.—No le diré nada.

Doña Pepita.—Bueno. La cuestión se reduce a impregnar a ese Ignacio, en el plazo más breve, de nuestra famosa moral de acero. ¿No es así?

Don Pablo.—Exacto. Y basta de charla, que el acto de la apertura se aproxima. Señoritas: en ustedes... cuatro, descanso satisfecho para este asunto.

Juana.—Descuide, don Pablo.

Doña Pepita.—Hasta ahora, hijitas.

Juana.—Hasta ahora, doña Pepita.

Doña Pepita.—Pablo, si no dispones otra cosa, man-

daré conectar los altavoces. Los chicos tienen derecho a
su ratito de música hasta la apertura...

> *(Se van charlando por la izquierda. JUANA*
> *y ELISA se pasean torpemente en primer tér-*
> *mino, en cariñoso emparejamiento.)*

JUANA.—¡Hablemos! (ELISA *no contesta. Parece pre-*
ocupada. JUANA *insiste.)* ¡Hablemos, Elisa!

ELISA.—*(Cavilosa.)* No me agrada el encargo del director. Ese Ignacio tiene algo indefinible que me repele.
¿Tú crees en el fluido magnético?

JUANA.—Sí, mujer. ¿Quién de nosotros no?

ELISA.—Muchos aseguran que eso es falso.

JUANA.—Muchos tontos... que no están enamorados.

ELISA.—*(Riendo.)* Tienes razón. Pero ése es el fluido
bueno, y tiene que haber otro malo.

JUANA.—¿Cuál?

ELISA.—*(Grave.)* El de Ignacio. Cuando estaba con
nosotras me pareció percibir una sensación de ahogo,
una desazón y una molestia... Y cuando le di la mano
se acentuó terriblemente. Una mano seca, ardorosa...
¡Cargada de malas intenciones!

JUANA.—Yo no noté eso. A mí me pareció simpático.
(Breve pausa.) Y, sobre todo, es un ser desgraciado. Ese
chico necesita adaptarse, nada más. ¡Y no pienses en
esas tonterías del fluido maligno!

ELISA.—*(Maliciosa.)* ¡Pues prefiero el fluido de Miguelín!

JUANA.—*(Riendo.)* ¡Y yo el de Carlos! Pero calla. Se
me ocurre una cosa...

> *(Silencio. De pronto comienzan los altavoces*
> *lejanos a desgranar en el ambiente el adagio*
> *del «Claro de luna», de Beethoven, lenta-*
> *mente tocado.)*

ELISA.—¿Eh?

JUANA.—Escucha. ¡Qué hermoso!

(Pausa.)

ELISA.—Podemos seguir hablando, ¿no te parece?

JUANA.—Sí, sí. Te dije que callaras porque había encontrado... la solución del problema de Ignacio.

ELISA.—¿Sí? ¡Dime!

JUANA.—*(Con dulzura.)* La solución para Ignacio es... una novia... Y tenemos que encontrársela. Pensaremos juntas en todas nuestras amigas. *(Pausa breve.)* ¿No me dices nada? ¿No lo encuentras bien?

ELISA.—Sí, pero...

JUANA.—¡Es una idea magnífica! ¿Ya no te acuerdas de cuando paseábamos juntas, antes de que Carlos y Miguelín se decidiesen? No negarás que entonces estábamos bastante tristes... No habíamos llegado aún a la región de la alegría, como dice Carlos. *(Elisa la besa.)* ¡Y qué emoción cuando cambiamos las primeras confidencias! Cuando te dije: «¡Se me ha declarado, Elisa!»

ELISA.—Y yo te pregunté: «¿Cómo ha sido? ¡Anda, cuéntamelo!»

JUANA.—Sí. Y también, a una pregunta mía, me dijiste, melancólicamente: «No... Miguelín aún no me ha dicho nada... No me quiere.»

ELISA.—¡Y lo hizo al día siguiente!

JUANA.—Animado, sin duda, por el mío. Son unos granujas. Ellos también tienen sus confidencias.

ELISA.—Y después..., el primer beso...

JUANA.—*(Soñadora.)* O antes...

ELISA.—*(Estupefacta.)* ¿Qué?

(Pero se asusta repentinamente ante las llamadas de MIGUELÍN, *en las que palpita un tono de angustia.)*

MIGUEL.—¡Elisa! ¡Elisa! ¡Elisa!

(*Aparece por la derecha.*)

ELISA.—(*Corriendo hacia él asustada.*) ¡Aquí estoy, Miguelín! ¿Por qué gritas?

MIGUEL.—¡Ven!... (*Cambiando súbitamente el tono por uno de broma.*) ...que te abrace.

(*Llega y lo hace, entre las risas de su novia.*)

ELISA.—¡Pegajoso!

JUANA.—Hay moros en la costa, Miguelín.

MIGUEL.—Ya, ya lo sé. Sacándonos a los cristianos el pellejo a tiras. Pero se acabó. Vámonos, Elisa.

JUANA.—¿Y Carlos?

MIGUEL.—No tardará. Me ha dicho que le esperes aquí.

JUANA.—¿Dónde habéis dejado a Ignacio?

MIGUEL.—En mi cuarto ha quedado. Dice que está cansado y que no asistirá a la apertura... Bueno, Elisita, que hay que coger buen sitio.

ELISA.—Sí, vámonos. ¿Te quedas, Juana?

JUANA.—Ahora vamos Carlos y yo... Guardadnos sitio.

MIGUEL.—Se procurará. Hasta ahora.

(ELISA y MIGUELÍN *se van por la izquierda.* JUANA *queda sola. Pasea lentamente, mientras escucha la sonata. Suspira. Un nuevo ruido interviene repentinamente: el inconfundible «tap-tap» de un bastón.* JUANA *se inmoviliza y escucha. Por la derecha aparece* IGNACIO, *que se dirige, despacio, al foro.*)

JUANA.—¡Ignacio! (IGNACIO *se detiene.*) Eres Ignacio, ¿no?

IGNACIO.—Sí, soy Ignacio. Y tú eres Juana.

JUANA.—*(Acercándose.)* ¿No estabas en tu cuarto?
IGNACIO.—De allí vengo... Adiós.

(Comienza a andar.)

JUANA.—¿Dónde vas?
IGNACIO.—*(Frío.)* A mi casa. (JUANA *se queda muda de asombro.)* Adiós.

(Da unos pasos.)

JUANA.—Pero Ignacio... ¡Si ibas a estudiar con nosotros!
IGNACIO.—*(Deteniéndose.)* He cambiado de parecer.
JUANA.—¿En una hora?
IGNACIO.—Es suficiente.

(JUANA se acerca y le coge cariñosamente de las solapas. Él se inmuta.)

JUANA.—No te dejes llevar de ese impulso irrazonable... ¿Cómo vas a llegar a tu casa?
IGNACIO.—*(Nervioso, rehuyendo torpemente el contacto de ella.)* Eso es fácil.
JUANA.—¡Pero tu padre se llevará un disgusto grandísimo! ¿Y qué dirá don Pablo?
IGNACIO.—*(Despectivo.)* Don Pablo...
JUANA.—Y nosotros, todos nosotros lo sentiríamos. Te consideramos ya como un compañero... Un buen compañero, con quien pasar alegremente un curso inolvidable.
IGNACIO.—¡Calla! Todos tenéis el acierto de crisparme. ¡Y tú también! ¡Tú la primera! «Alegremente» es la palabra de la casa. Estáis envenenados de alegría. Y no era eso lo que pensaba yo encontrar aquí. Creí que encontraría... a mis verdaderos compañeros, no a unos ilusos.
JUANA.—*(Sonriendo con dulzura.)* Pobre Ignacio, me das pena.

IGNACIO.—¡Guárdate tu pena!

JUANA.—¡No te enfades! Es muy natural lo que te pasa. Todos hemos vivido momentos semejantes, pero eso concluye un día. *(Ladina.)* Y yo sé el remedio. *(Breve pausa.)* Si me escuchas con tranquilidad, te diré cuál es.

IGNACIO.—¡Estoy tranquilo!

JUANA.—Óyeme… Tú necesitas una novia. *(Pausa.* IGNACIO *comienza a reír levemente.)* ¡Te ríes! *(Risueña.)* ¡Pronto acerté!

IGNACIO.—*(Deja de reír. Grave)* Estáis envenenados de alegría. Pero sois monótonos y tristes sin saberlo… Sobre todo las mujeres. Aquí, como ahí fuera, os repetís lamentablemente, seáis ciegas o no. No eres la primera en sugerirme esa solución pueril. Mis vecinitas decían lo mismo.

JUANA.—¡Bobo! ¿No comprendes que se insinuaban?

IGNACIO.—¡No! Ellas también estaban comprometidas…, como tú. Daban el consejo estúpido que la estúpida alegría amorosa os pone a todas en la boca. Es… como una falsa generosidad. Todas decís: «¡Por qué no te echas novia?» Pero ninguna, con la inefable emoción del amor en la voz, ha dicho: «Te quiero.» *(Furioso.)* Ni tú tampoco, ¿no es así? ¿O acaso lo dices? *(Pausa.)* No necesito una novia. ¡Necesito un «te quiero» dicho con toda el alma! «Te quiero con tu tristeza y tu angustia; para sufrir contigo, y no para llevarte a ningún falso reino de la alegría.» No hay mujeres así.

JUANA.—*(Vagamente dolida en su condición femenina.)* Acaso tú no le hayas preguntado a ninguna mujer.

IGNACIO.—*(Duro.)* ¿A una vidente?

JUANA.—¿Por qué no?

IGNACIO—*(Irónico.)* ¿A una vidente?

JUANA.—¡Qué más da! ¡A una mujer!

(Breve pausa.)

IGNACIO.—¡Al diablo todas, y tú de capitana! Quédate
con tu alegría; con tu Carlos, muy bueno y muy sabio...
y completamente tonto, porque se cree alegre. Y como
él, Miguelín, y don Pablo y todos. ¡Todos! Que no tenéis derecho a vivir, porque os empeñáis en no sufrir;
porque os negáis a enfrentaros con vuestra tragedia, fin-
giendo una normalidad que no existe, procurando olvidar e, incluso, aconsejando duchas de alegría para re-
animar a los tristes... (*Movimiento de* JUANA.) ¡Crees
que no lo sé! Lo adivino. Tu don Pablo tuvo la candidez
de insinuárselo a mi padre, y éste os lo pidió descarada-
mente... (*Sarcástico.*) Vosotros sois los alumnos modelo,
los leales colaboradores del profesorado en la lucha contra la desesperación, que se agazapa por todos los rinco-
nes de la casa. (*Pausa.*) ¡Ciegos! ¡Ciegos y no invidentes,
imbéciles!

JUANA.—(*Conmovida.*) No sé qué decirte... Ni quiero
mentirte tampoco... Pero respeta y agradece al menos
nuestro buen deseo. ¡Quédate! Prueba...

IGNACIO.—No.

JUANA.—¡Por favor! No puedes marcharte ahora; sería
escandaloso. Y yo... No acierto con las palabras. No sé
cómo podría convencerte.

IGNACIO.—No puedes convencerme.

JUANA.—(*Con las manos juntas, alterada.*) No te va-
yas. Soy muy torpe, lo comprendo... Tú aciertas a darme la sensación de mi impotencia... Si te vas todos sa-
brán que hablé contigo y no conseguí nada. ¡Quédate!

IGNACIO.—¡Vanidosa!

JUANA.—(*Condolida.*) No es vanidad, Ignacio. (*Triste.*)
¿Quieres que te lo pida de rodillas?

(*Breve pausa.*)

IGNACIO.—(*Muy frío.*) ¿Para qué de rodillas? Dicen
que ese gesto causa mucha impresión a los videntes...
Pero nosotros no lo vemos. No seas tonta; no hables de
cosas que desconoces, no imites a los que viven de ver-

dad. ¡Y ahórrame tu desagradable debilidad, por favor! *(Gran pausa.)* Me quedo.

JUANA.—¡Gracias!

IGNACIO.—¿Gracias? Hacéis mal negocio. Porque vosotros sois demasiado pacíficos, demasiado insinceros, demasiado fríos. Pero yo estoy ardiendo por dentro; ardiendo con un fuego terrible, que no me deja vivir y que puede haceros arder a todos... Ardiendo en esto que los videntes llaman oscuridad, y que es horroroso..., porque no sabemos lo que es. Yo os voy a traer guerra, y no paz.

JUANA.—No hables así. Me duele. Lo esencial es que te quedes. Estoy segura de que será bueno para todos.

IGNACIO.—*(Burlón.)* Torpe... y tonta. Tu optimismo y tu ceguera son iguales... La guerra que me consume os consumirá.

JUANA.—*(Nuevamente afligida.)* No, Ignacio. No debes traernos ninguna guerra. ¿No será posible que todos vivamos en paz? No te comprendo bien. ¿Por qué sufres tanto? ¿Qué te pasa? ¿Qué es lo que quieres?

(Breve pausa.)

IGNACIO.—*(Con tremenda energía contenida.)* ¡Ver!

JUANA.—*(Se separa de él y queda sobrecogida.)* ¿Qué?

IGNACIO.—¡Sí! ¡Ver! Aunque sé que es imposible, ¡ver! Aunque en este deseo se consuma estérilmente mi vida entera, ¡quiero ver! No puedo conformarme. No debemos conformarnos. ¡Y menos, sonreír! Y resignarse con vuestra estúpida alegría de ciegos, ¡nunca! *(Pausa.)* Y aunque no haya ninguna mujer de corazón que sea capaz de acompañarme en mi calvario, marcharé solo, negándome a vivir resignado, ¡porque quiero ver!

(Pausa. Los altavoces lejanos siguen sonando. JUANA está paralizada, con la mano en la boca y la angustia en el semblante. CARLOS irrumpe rápido por la derecha.)

CARLOS.—¡Juana! *(Silencio.* JUANA *se vuelve hacia él, instintivamente; luego, desconcertada, se vuelve a* IGNA- CIO, *sin decidirse a hablar.)* ¿No estás aquí, Juanita?... ¡Juana! (JUANA *no se mueve ni contesta.* IGNACIO, *sumido en su amargura, tampoco.* CARLOS *pierde su instintiva se- guridad; se siente extrañamente solo. Ciego. Adelanta in- deciso los brazos, en el gesto eterno de palpar el aire, y avanza con precaución.)* ¡Juana!... ¡Juana!...

> *(Sale por la izquierda llamándola, de nuevo con voz segura y trivial.)*

TELÓN

ACTO SEGUNDO

El fumadero. Los árboles del fondo muestran ahora el esqueleto de sus ramas, sólo aquí y allá moteadas de hojas amarillas. En el suelo de la terraza abundan las hojas secas, que el viento trae y lleva.

(ELISA *se encuentra en la terraza, recostada en el quicio de la portalada, con el aire mustio y los cabellos alborotados por la brisa. Después de un momento, entran por la derecha* JUANA *y* CARLOS, *del brazo. En vano intenta ocultarse el uno al otro su tono preocupado.*)

CARLOS.—Juana...

JUANA.—Dime.

CARLOS.—¿Qué te ocurre?

JUANA.—Nada.

CARLOS.—No intentes negármelo. Llevas ya algún tiempo así...

JUANA.—*(Con falsa ligereza.)* ¿Así, cómo?

CARLOS.—Así como... inquieta.

(Se sienta en uno de los sillones del centro. JUANA *lo hace en el sofá, a su lado.*)

JUANA.—No es nada...

(Breve pausa.)

CARLOS.—Siempre nos dijimos nuestras preocupaciones... ¿No quieres darme el placer de compartir ahora las tuyas?

JUANA.—¡Si no estoy preocupada!

(Breve pausa.)

CARLOS.—*(Acariciándole una mano.)* Sí. Sí lo estás. Y yo también.

JUANA.—¿Tú? ¿Tú estás preocupado? Pero ¿por qué?

CARLOS.—Por la situación que ha creado... Ignacio.

(Breve pausa.)

JUANA.—¿La crees grave?

CARLOS.—¿Y tú? *(Sonriendo.)* Vamos, sincérate conmigo... Siempre lo hiciste.

JUANA.—No sé qué pensar... Me considero parcialmente culpable.

CARLOS.—*(Sin entonación.)* ¿Culpable?

JUANA.—Sí. Ya te dije que el día de la apertura logré disuadirle de su propósito de marcharse. Y ahora pienso que quizá hubiera sido mejor.

CARLOS.—Hubiera sido mejor; pero todavía es posible arreglar las cosas, ¿no crees?

JUANA.—Tal vez.

CARLOS.—Ayer tuve que decirle lo mismo a don Pablo... Es sorprendente lo afectado que está. No supo concretarme nada; pero se desahogó confiándome sus aprensiones... Encuentra a los muchachos más reservados, menos decididos que antes. Los concursos de emulación en el estudio se realizan ahora mucho más lánguidamente... Yo traté de animarle. Me causaba lástima encontrarle tan indeciso. Lástima... y una sensación muy rara.

JUANA.—¿Una sensación muy rara? ¿Qué sensación?

CARLOS.—Casi no me atrevo a decírtelo... Es tan nueva para mí... Una sensación como de... desprecio.

JUANA.—¡Carlos!

CARLOS.—No lo pude evitar. ¡Ah! Y también me preguntó qué le ocurría a Elisita, y si había reñido con Miguelín. Por consideración a Miguelín no quise explicárselo a fondo.

JUANA.—¡Pobre Elisa! Cuando estábamos en la mesa noté perfectamente que apenas comía. *(Breve pausa.)* Es raro que no esté por aquí.

> (ELISA *no acusa estas palabras, aunque no está tan lejos como para no oírlas. Continúa abstraída en sus pensamientos. Tampoco ellos intuyen su presencia: el enlace parece haberse roto entre los ciegos.*)

CARLOS.—Es ya tarde. Esto no tardará en llenarse, y seguramente se ha refugiado en algún rincón solitario. *(Súbitamente enardecido.)* ¡Y por ella, y por todos, y por ese imbécil de Miguelín también, hay que arreglar esto!

JUANA.—¿De qué modo?

CARLOS.—Ignacio nos ha demostrado que la cordialidad y la dulzura son inútiles con él. Es agrio y despegado... ¡Está enfermo! Responde a la amistad con la maldad.

JUANA.—Está intranquilo; carece de paz interior...

CARLOS.—No tiene paz ni la quiere. *(Pausa grave.)* ¡Tendrá guerra!

JUANA.—*(Levantándose, súbitamente, para pasear su agitación.)* ¿Guerra?

CARLOS.—¿Qué te pasa?

JUANA.—*(Desde el primer término.)* Has pronunciado una palabra... tan odiosa... ¿No es mejor siempre la dulzura?

CARLOS.—No conoces a Ignacio. En el fondo es cobarde; hay que combatirle. ¡Quién nos iba a decir cuando vino que, lejos de animarle, nos desuniría a nosotros! Porque perdemos posiciones, Juana. Posee una fuerza para el contagio con la que no contábamos.

JUANA.—Yo pensé algún tiempo en buscarle una novia..., pero no la he encontrado. ¡Y qué gran solución sería!

CARLOS.—Tampoco. Ignacio no es hombre a quien pueda cambiar ninguna mujer. Ahora está rodeado de compañeras, bien lo sabes... Van a él como atraídas por un imán. Y él las desdeña. Sólo nos queda un camino: desautorizarle ante los demás por la fuerza del razonamiento; hacerle indeseable a los compañeros. ¡Forzarle a salir de aquí!

JUANA.—¡Qué fracaso para el Centro!. .

CARLOS.—¿Fracaso? La razón no puede fracasar, y nosotros la tenemos.

JUANA.—*(Compungida.)* Sí... Pero una novia le regeneraría.

CARLOS.—*(Cariñoso.)* Vamos, ven aquí... ¡Ven! *(Ella se acerca despacio. Él toma sus manos.)* Juanita mía, ¡me gustas tanto por tu bondad! Si fueras médico emplearías siempre bálsamos y nunca el escalpelo. (JUANA *se recuesta, sonriente, en el sillón y le besa.)* Nos hemos quedado solos para combatir, Juana. No desertes tú también.

(Breve pausa.)

JUANA.—¿Por qué dices eso?

CARLOS.—Por nada. Es que ahora te necesito más que nunca.

(Entran por el foro IGNACIO *y los tres estudiantes.* IGNACIO *no ha abandonado su bastón, pero ha acentuado su desaliño: no lleva corbata.)*

ANDRÉS.—Aquí, Ignacio.

(*Conduciéndolo a los sillones de la izquierda.*)

IGNACIO.—¿Vienen las chicas?

ALBERTO.—No se las oye.

IGNACIO.—Menos mal. Llegan a ponerse inaguantables.

ANDRÉS.—No te preocupes por ellas. Anda, siéntate. (*Sacando una cajetilla.*) Toma un cigarrillo.

IGNACIO.—No, gracias. (*Se sienta.*) ¿Para qué fumar? ¿Para imitar a los videntes?

ANDRÉS.—Tienes razón. El primer pitillo se fuma por eso. Lo malo es que luego se coge el vicio. Tomad vosotros.

(*Da cigarrillos a los otros. Se sientan. Cada uno enciende con su cerilla y la tira en el cenicero.* CARLOS *crispa las manos sobre el sillón y* JUANA *se sienta en el sofá.*)

CARLOS.—(*Con ligero tono de reto.*) Buenas tardes, amigos.

IGNACIO, ANDRÉS y ALBERTO.—(*Con desgana.*) Hola.

PEDRO.—Hola, Carlos. ¿Qué haces por aquí?

CARLOS.—Aquí estoy, con Juana.

(IGNACIO *levanta la cabeza.*)

IGNACIO.—Se está muy bien aquí. Tenemos un buen otoño.

ANDRÉS.—Aún es pronto. El sol está dando en la terraza.

PEDRO.—Bueno, Ignacio, prosigue con tu historia.

IGNACIO.—¿Dónde estábamos?

ALBERTO.—Estábamos en que en aquel momento tropezaste.

IGNACIO.—*(Se arrellana y suspira.)* Sí. Fue al bajar los escalones. Seguramente a vosotros os ha ocurrido alguna vez. Uno cuenta y cree que han terminado. Entonces se adelanta confiadamente el pie y se pega un gran pisotón en el suelo. Yo lo pegué y el corazón me dio un vuelco. Apenas podía tenerme en pie; las piernas se habían convertido en algodón, y las muchachas se estaban riendo a carcajadas. Era una risa limpia y sin malicia; pero a mí me traspasó. Y sentí que me ardía el rostro. Las muchachas trataban de cortar sus risas; no podían, y volvían a empezar. ¿Habéis notado que muchas veces las mujeres no pueden dejar de reír? Se ponen tan nerviosas, que les es imposible... Yo estaba a punto de llorar. ¡Sólo tenía quince años! Entonces me senté en un escalón y me puse a pensar. Intenté comprender por primera vez por qué estaba ciego y por qué tenía que haber ciegos. ¡Es abominable que la mayoría de las personas, sin valer más que nosotros, gocen, sin mérito alguno, de un poder misterioso que emana de sus ojos y con el que pueden abrazarnos y clavarnos el cuerpo sin que podamos evitarlo! Se nos ha negado ese poder de aprehensión de las cosas a distancia, y estamos por debajo, ¡sin motivo!, de los que viven ahí fuera. Aquella vieja cantilena de los ciegos que se situaban por las esquinas en tiempo de nuestros padres, cuando decían, para limosnear: «No hay prenda como la vista, hermanitos», no armoniza bien tal vez con nuestra tranquila vida de estudiantes; pero yo la creo mucho más sincera y más valiosa. Porque ellos no hacían como nosotros; no incurrían en la tontería de creerse normales.

(A medida que CARLOS *escuchaba a* IGNACIO, *su expresión de ira reprimida se ha acentuado.* JUANA *ha reflejado en su rostro una extraña identificación con las incidencias del relato.)*

ANDRÉS.—*(Reservado.)* Acaso tengas razón... Yo he pensado también mucho en esas cosas. Y creo que con la ceguera no sólo carecemos de un poder a distancia, sino de un placer también. Un placer maravilloso, seguramente. ¿Cómo supones tú que será?

(MIGUELÍN, *que no ha perdido del todo su aire jovial, desemboca en la terraza por la izquierda. Pasa junto a* ELISA, *sin sentirla —ella se mueve con ligera aprensión—, y llega al interior a tiempo de escuchar las palabras de* IGNACIO.)

IGNACIO.—*(Accionando para él solo con sus manos llenas de anhelo y violencia, subraya inconscientemente la calidad táctil que sus presunciones ofrecen.)*—Pienso que es como si por los ojos entrase continuamente un cosquilleo que fuese removiendo nuestros nervios y nuestras vísceras... y haciéndonos sentirnos más tranquilos y mejores.

ANDRÉS.—*(Con un suspiro.)* Así debe de ser.

MIGUEL.—¡Hola, chicos!

(Desde la terraza, ELISA *levanta la cabeza, lleva las manos al pecho y se empieza a acercar.)*

PEDRO.—Hola, Miguelín.

ANDRÉS.—Llegas a tiempo para decirnos cómo crees tú que es el placer de ver.

MIGUEL.—¡Ah! Pues de un modo muy distinto a como lo ha explicado Ignacio. Pero nada de eso importa, porque a mí se me ha ocurrido hoy una idea genial —¡no os riáis!—, y es la siguiente: nosotros no vemos. Bien. ¿Concebimos la vista? No. Luego la vista es inconcebible. Luego los videntes no ven tampoco.

(Salvo IGNACIO, *el grupo ríe a carcajadas.)*

PEDRO.—¿Pues qué hacen, si no ven?

MIGUEL.—No os riáis, idiotas. ¿Qué hacen? Padecen una alucinación colectiva. ¡La locura de la visión! Los únicos seres normales en este mundo de locos somos nosotros.

(Estallan otra vez las risas. MIGUELÍN *ríe también.* ELISA *sufre.)*

IGNACIO.—*(Cuya voz profunda y melancólica acalla las risas de los otros.)* Miguelín ha encontrado una solución, pero absurda. Nos permitiría vivir tranquilos si no supiéramos demasiado bien que la vista existe. *(Suspira.)* Por eso tu hallazgo no nos sirve.

MIGUEL.—*(Con repentina melancolía en la voz.)* Pero ¿verdad que es gracioso?

IGNACIO.—*(Sonriente.)* Sí. Tú has sabido ocultar entre risas, como siempre, lo irreparable de tu desgracia.

(La seriedad de MIGUELÍN *aumenta.)*

ELISA.—*(Que no puede más.)* ¡Miguelín!

JUANA.—¡Elisa!

MIGUEL.—*(Trivial.)* ¡Caramba, Juana! ¿Estabas aquí? ¿Y Carlos?

CARLOS.—Aquí estoy también. Y si me lo permitís *(Apretando sobre el sillón la mano de* JUANA *en muda advertencia.)*, me sentaré con vosotros.

(Se sienta a la izquierda del grupo.)

ELISA.—¡Miguelín, escucha! ¡Vamos a pasear al campo de deportes! ¡Se está muy bien ahora! ¿Quieres?

MIGUEL.—*(Despegado.)* Elisita, si acabo de llegar de allí precisamente. Y esta es una conversación muy interesante. ¿Por qué no te sientas con Juana?

JUANA.—Ven conmigo, Elisa. Aquí tienes un sillón.

(ELISA *suspira y no dice nada. Se sienta
junto a* JUANA, *quien la mima y la conforta en
su desaliento, hasta que el interés de la conversación entre* IGNACIO *y* CARLOS *absorbe
a las dos.*)

ALBERTO.—¿Nos escuchabas, Carlos?

CARLOS.—Sí, Alberto. Todo era muy interesante.

ANDRÉS.—¿Y qué opinas tú de ello?

CARLOS.—*(Con tono mesurado.)* No entiendo bien algunas cosas. Sabéis que soy un hombre práctico. ¿A qué
fin razonable os llevaban vuestras palabras? Eso es lo
que no comprendo. Sobre todo cuando no encuentro en
ellas otra cosa que inquietud y tristeza.

MIGUEL.—¡Alto! También había risas... *(De nuevo
con involuntaria melancolía.)* provocadas por la irreparable desgracia de este humilde servidor.

(Risas.)

CARLOS.—*(Con tono de creciente decisión.)* Siento decirte, Miguelín, que a veces no eres nada divertido. Pero
dejemos eso. *(Vibrante.)* A ti, Ignacio *(Éste se estremece
ante el tono de* CARLOS.), a ti, es a quien quiero preguntar algo: ¿Quieres decir con lo que nos has dicho
que los invidentes formamos un mundo aparte de los
videntes?

IGNACIO.—*(Que parece asustado, carraspea.)* Pues...
yo he querido decir...

CARLOS.—*(Tajante.)* No, por favor. ¿Lo has querido
decir, sí o no?

IGNACIO.—Pues... sí. Un mundo aparte... y más desgraciado.

CARLOS.—¡Pues no es cierto! Nuestro mundo y el de

ellos es el mismo. ¿Acaso no estudiamos como ellos?
¿Es que no somos socialmente útiles como ellos? ¿No
tenemos también nuestras distracciones? ¿No hacemos
deporte? *(Pausa breve.)* ¿No amamos, no nos casamos?

IGNACIO.—*(Suave.)* ¿No vemos?

CARLOS.—*(Violento.)* ¡No, no vemos! Pero ellos son
mancos, cojos, paralíticos; están enfermos de los nervios,
del corazón o del riñón; se mueren a los veinte años de
tuberculosis o los asesinan en las guerras... O se mueren
de hambre.

ALBERTO.—Eso es cierto.

CARLOS.—¡Claro que es cierto! La desgracia está muy
repartida entre los hombres, pero nosotros no formamos
rancho aparte en el mundo. ¿Quieres una prueba definitiva? Los matrimonios entre nosotros y los videntes.
Hoy son muchos; mañana serán la regla... Hace tiempo
que habríamos conseguido mejores resultados si nos hubiésemos atrevido a pensar así en lugar de salmodiar llo-
ronamente el «no hay prenda como la vista», de que
hablabas antes. *(Severo, a los otros.)* Y me extraña mucho que vosotros, viejos ya en la institución, podáis du-
darlo ni por un momento. *(Pausa breve.)* Se comprende
que dude Ignacio... No sabe aún lo grande, lo libre y
hermosa que es nuestra vida. No ha adquirido confianza; tiene miedo a dejar su bastón... ¡Sois vosotros quienes debéis ayudarle a confiar!

(Pausa.)

ANDRÉS.—¿Qué dices a eso, Ignacio?

IGNACIO.—Las razones de Carlos son muy débiles.
Pero esta conversación parece un pugilato. ¿No sería
mejor dejarla? Yo te estimo, Carlos, y no quisiera...

PEDRO.—No, no. Debes contestarle.

IGNACIO.—Es que...

CARLOS.—*(Burlón, creyendo vencer.)* No te preocupes,

hombre. Contéstame. No hay nada más molesto que un problema a medio resolver.

IGNACIO.—Olvidas que, por desgracia, los grandes problemas no suelen resolverse.

(Se levanta y sale del grupo.)

ANDRÉS.—¡No te marches!

CARLOS.—*(Con aparente benevolencia.)* Déjale, Andrés... Es comprensible. No tiene todavía seguridad en sí mismo...

IGNACIO.—*(Junto al velador de la derecha.)* Y por eso necesito mi bastón, ¿no?

CARLOS.—Tú mismo lo dices...

IGNACIO.—*(Cogiendo sin ruido el cenicero que hay sobre el velador y metiéndoselo en el bolsillo de la chaqueta.)* Todos lo necesitamos para no tropezar.

CARLOS.—¡Lo que te hace tropezar es el miedo, el desánimo! Llevarás el bastón toda tu vida y tropezarás toda tu vida. ¡Atrévete a ser como nosotros! ¡Nosotros no tropezamos!

IGNACIO.—Muy seguro estás de ti mismo. Tal vez algún día tropieces y te hagas mucho daño... Acaso más pronto de lo que crees. *(Pausa.)* Por lo demás, no pensaba marcharme. Deseo contestarte, pero permitidme todos que lo haga paseando... Así me parece que razono mejor. *(Ha tomado por su tallo el velador y marcha, marcando bien los golpes del bastón, al centro de la escena. Allí lo coloca suavemente, sin el menor ruido.)* Tú, Carlos, pareces querer decirnos que hay que atreverse a confiar, que la vida es la misma para nosotros y para los videntes...

CARLOS.—Cabalmente.

IGNACIO.—Confías demasiado. Tu seguridad es ilusoria... No resistiría el tropiezo más pequeño. Te ríes de mi bastón, pero mi bastón me permite pasear por aquí, como hago ahora, sin miedo a los obstáculos.

(*Se dirige al primer término derecho y se vuelve. El velador se encuentra exactamente en la línea que le une con* CARLOS.)

CARLOS.—(*Riendo.*) ¿Qué obstáculos? ¡Aquí no hay ninguno! ¿Te das cuenta de tu cobardía? Si usases sin temor de tu conocimiento del sitio, como hacemos nosotros, tirarías ese palo.

IGNACIO.—No quiero tropezar.

CARLOS.—(*Exaltado.*) ¡Si no puedes tropezar! Aquí todo está previsto. No hay un sólo rincón de la casa que no conozcamos. El bastón está bien para la calle, pero aquí...

IGNACIO.—Aquí también es necesario. ¿Cómo podemos saber nosotros, pobres ciegos, lo que nos acecha alrededor?

CARLOS.—¡No somos pobres! ¡Y lo sabemos perfectamente! (IGNACIO *ríe sin rebozo.*) ¡No te rías!

IGNACIO.—Perdona, pero... me resulta tan pueril tu optimismo... Por ejemplo, si yo te pidiera que te levantases y vinieses muy aprisa a donde me encuentro, ¿quieres hacernos creer que lo harías sin miedo...?

CARLOS.—(*Levantándose de golpe.*) ¡Naturalmente! ¿Quieres que lo haga?

(*Pausa.*)

IGNACIO.—(*Grave.*) Sí, por favor. Muy de prisa, no lo olvides.

CARLOS.—¡Ahora mismo!

(*Todos los ciegos adelantan la cabeza, en escucha.* CARLOS *da unos pasos rápidos, pero de pronto la desconfianza crispa su cara y disminuye la marcha, extendiendo los brazos. No tarda en palpar el velador, y una expresión de odio brutal le invade.)*

IGNACIO.—Vienes muy despacio.

CARLOS.—*(Que, bordeando el velador, ha avanzado con los puños cerrados hasta enfrentarse con* IGNACIO.*)* No lo creas. Ya estoy aquí.

IGNACIO.—Has vacilado.

CARLOS.—¡Nada de eso! Vine seguro de convencerte de lo vano de tus miedos. Y... te habrás persuadido... de que no hay obstáculos por en medio.

IGNACIO.—*(Triunfante.)* Pero te dio miedo. ¡No lo niegues! *(A los demás.)* Le dio miedo. ¿No le oísteis vacilar y pararse?

MIGUEL.—Hay que reconocerlo, Carlos. Todos lo advertimos.

CARLOS.—*(Rojo.)* ¡Pero no lo hice por miedo! Lo hice porque de pronto comprendí...

IGNACIO.—¡Qué! ¿Acaso que podía haber obstáculos? Pues si no llamas a eso miedo, llámalo como quieras.

MIGUEL.—¡Un tanto para Ignacio!

CARLOS.—*(Dominándose.)* Es cierto. No fue miedo, pero hubo una causa que... que no puedo explicar. Esta prueba es nula.

IGNACIO.—*(Benévolo.)* No tengo inconveniente en concedértelo. *(Mientras habla se encamina al grupo para sentarse de nuevo.)* Pero aún he de contestar a tus argumentos... Estudiamos, sí; *(A todos.)* la décima parte de las cosas que estudian los videntes. Hacemos deportes..., menos nueve décimas partes de ellos. *(Se ha sentado plácidamente.* CARLOS, *que permanece inmóvil en el primer término, cruza los brazos tensos para contenerse.)* Y en cuanto al amor...

ALBERTO.—Eso no podrás negarlo.

IGNACIO.—El amor es algo maravilloso. El amor, por

ejemplo, entre Carlos y Juana. (JUANA, *que ha seguido angustiada las peripecias de la disputa, se sobresalta.*) ¡Pero esa maravilla no pasa de ser una triste parodia del amor entre los videntes! Porque ellos poseen al ser amado por entero. Son capaces de englobarle en una mirada. Nosotros poseemos... a pedazos. Una caricia, el arrullo momentáneo de la voz... En realidad no nos amamos. Nos compadecemos y tratamos de disfrazar esa triste piedad con alegres tonterías, llamándola amor. Creo que sabría mejor si no la disfrazásemos.

MIGUEL.—¡Segundo tanto para Ignacio!

CARLOS.—*(Conteniéndose.)* Me parece que has olvidado contestar a algo muy importante...

IGNACIO.—Puede ser.

CARLOS.—Los matrimonios entre videntes e invidentes, ¿no prueban que nuestro mundo y el de ellos es el mismo? ¿No son una prueba de que el amor que sentimos y hacemos sentir no es una parodia?

IGNACIO.—¡Pura compasión, como los otros!

CARLOS.—¿Te atreverías a asegurar que don Pablo y doña Pepita no se han amado?

IGNACIO.—¡Ja, ja, ja! Yo no quisiera que mis palabras se interpretasen mal por alguien...

ANDRÉS.—Todos te prometemos discreción.

(DOÑA PEPITA *avanza por la derecha de la terraza hacia la portalada, mirándolos tras los cristales. Al oír su nombre se detiene.*)

IGNACIO.—La región del optimismo donde Carlos sueña no le deja apreciar la realidad. (*A* CARLOS.) Por eso no te has enterado de un detalle muy significativo que todos sabemos por las visitas. Muy significativo. Doña Pepita y don Pablo se casaron porque don Pablo necesitaba un bastón; *(Golpea el suelo con el suyo.)* pero, sobre todo, *(Se detiene.)* por una de esas cosas que los ciegos no comprendemos, pero que son tan importantes para los videntes. Porque... ¡doña Pepita es muy fea!

> (*Un silencio. Poco a poco, la idea les complace. Ríen hasta estallar en grandes carcajadas.* CARLOS, *violento, no sabe qué decir.*)

MIGUEL.—¡Tercer tanto para Ignacio!

> (*Arrecian las carcajadas.* CARLOS *se retuerce las manos.* JUANA *ha apoyado la cabeza en las manos y está ensimismada.* DOÑA PEPITA, *que inclinó la cabeza con tristeza, se sobrepone e interviene.*)

DOÑA PEPITA.—(*Cordial.*) ¡Buenas tardes, hijitos! Les encuentro muy alegres. (*A su voz, las risas cesan de repente.*) Algún chiste de Miguelín, probablemente... ¿No es eso?

> (*Todos se levantan, conteniendo algunos la risa de nuevo.*)

MIGUEL.—Lo acertó usted, doña Pepita.

DOÑA PEPITA.—Pues le voy a reñir por hacerles perder el tiempo de ese modo. Van a dar las tres y aún no han ido a ensayar al campo... ¿A qué altura van a dejar el nombre del Centro en el concurso de patín? ¡Vamos! ¡Al campo todo el mundo!

MIGUEL.—Usted perdone.

DOÑA PEPITA.—Perdonado. Pórtese bien ahora en la pista. Y ustedes, señoritas, vengan conmigo a la terraza a tomar el aire. (*Los estudiantes van desfilando hacia la terraza y desaparecen por la izquierda, entre risas reprimidas.* CARLOS, IGNACIO, JUANA y ELISA *permanecen.* DOÑA PEPITA *se dirige entonces a* CARLOS, *con especial ternura. El estudiante es para ella el alumno predilecto*

*de la casa. Tal vez el hijo de carne que no llegó a tener
con* DON PABLO... *Acaso esté un poco enamorada de él
sin saberlo.)* Carlos, don Pablo quiere hablarle.

CARLOS.—Ahora voy, doña Pepita. En cuanto termine
un asuntillo con Ignacio.

DOÑA PEPITA.—Y usted, ¿no quiere patinar, Ignacio?
¿Cuándo se decide a dejar el bastón?

IGNACIO.—No me atrevo, doña Pepita. Además, ¿para
qué?

DOÑA PEPITA.—Pues hijo, ¿no ve a sus compañeros
cómo van y vienen sin él?

IGNACIO.—No, señora. Yo no veo nada.

DOÑA PEPITA.—*(Seca.)* Claro que no. Perdone. Es una
forma de hablar... ¿Vamos, señoritas?

JUANA.—Cuando guste.

DOÑA PEPITA.—*(Enlazando por el talle a las dos muchachas.)* Ahí se quedan ustedes. *(Afectuosa.)* No olvide
a don Pablo, Carlos.

CARLOS.—Descuide. Voy en seguida.

> (DOÑA PEPITA *y las muchachas avanzan ha-
> cia la barandilla, donde se recuestan.* DOÑA
> PEPITA *acciona vivamente, explicando a las
> ciegas las incidencias del patinaje.* IGNACIO
> *vuelve a sentarse. Una pausa.)*

IGNACIO.—Tú dirás.

> (CARLOS *no dice nada. Se acerca al velador
> y lo coge para devolverlo, con ostensible
> ruido, a su primitivo lugar. Después se en-
> frenta con* IGNACIO.)

CARLOS.—*(Seco.)* ¿Dónde has dejado el cenicero?

IGNACIO.—*(Sonriendo.)* ¡Ah!, sí. Se me olvidaba.
Tómalo.

> *(Se lo alarga.* CARLOS *palpa en el vacío y lo
> atrapa bruscamente.)*

CARLOS.—¡No sé si te das cuenta de que estoy a punto de agredirte!

IGNACIO.—No tendrías más razón aunque lo hicieras.

(CARLOS *se contiene. Después va a dejar el cenicero en su sitio, con un sonoro golpe, y vuelve al lado de* IGNACIO.)

CARLOS.—*(Resollando.)* Escucha, Ignacio. Hablemos lealmente. Y con la mayor voluntad de entendernos.

IGNACIO.—Creo entenderte muy bien.

CARLOS.—Me refiero a entendernos en la práctica.

IGNACIO.—No es muy fácil.

CARLOS.—De acuerdo. Pero ¿no lo crees necesario?

IGNACIO.—¿Por qué?

CARLOS.—*(Con impaciencia reprimida.)* Procuraré explicarme. Ya que no pareces inclinado a abandonar tu pesimismo, para mí merece todos los respetos. ¡Pero encuentro improcedente que intentes contagiar a los demás! ¿Qué derecho tienes a eso?

IGNACIO.—No intento nada. Me limito a ser sincero, y ese contagio de que me hablas no es más que el despertar de la sinceridad de cada cual. Me parece muy conveniente, porque aquí había muy poca. ¿Quieres decirme, en cambio, qué derecho te asiste para recomendar constantemente la alegría, el optimismo y todas esas zarandajas?

CARLOS.—Ignacio, sabes que son cosas muy distintas. Mis palabras pueden servir para que nuestros compañeros consigan una vida relativamente feliz. Las tuyas no lograrán más que destruir; llevarlos a la desesperación, hacerles abandonar sus estudios.

(DOÑA PEPITA *interpela desde la terraza a los que patinan en el campo.* IGNACIO *y* CARLOS *se interrumpen y escuchan.*)

Doña Pepita.—¡Se ha caído usted ya dos veces, Miguelín! Eso está muy mal. ¿Y a usted, Andrés, qué le pasa? ¿Por qué no se lanza?... Vaya. Otro que se cae. Están ustedes cada día más inseguros...

Carlos.—¿Lo oyes?

Ignacio.—¿Y qué?

Carlos.—¡Que tú eres el culpable!

Ignacio.—¿Yo?

Carlos.—¡Tú, Ignacio! Y yo te invito, amistosamente, a reflexionar... y a colaborar para mantener limpio el Centro de problemas y de ruina. Creo que a todos nos interesa.

Ignacio.—¡A mí no me interesa! Este Centro está fundado sobre una mentira.

> (Doña Pepita, *con las manos en los hombros de las ciegas, las besa cariñosamente y se va por la derecha de la terraza.* Juana *y* Elisa *se emparejan.*)

Carlos.—¿Qué mentira?

Ignacio.—La de que somos seres normales.

Carlos.—¡Ahora no discutiremos eso!

Ignacio.—*(Levantándose.)* ¡No discutiremos nada! No hay acuerdo posible entre tú y yo. Hablaré lo que quiera y no renunciaré a ninguna conquista que se me ponga en mi camino. ¡A ninguna!

Carlos.—*(Engarfia las manos. Se contiene.)* Está bien. Adiós.

> (*Se va rápidamente por la derecha.* Ignacio *queda solo. Silba melancólicamente unas notas del adagio del «Claro de luna». A poco, apoya las manos en el bastón y reclina la cabeza. Breve pausa.* Lolita *entra por la terraza. A poco, entra por la derecha* Esperanza, *y la faz de cada una se ilumina al sentir los pasos de la otra. Avanzan hasta encontrarse y, casi a un tiempo, exclaman:*)

Lolita.—¡Ignacio!
Esperanza.—¡Ignacio!

> *(Éste se inmoviliza y no responde. Ellas
> ríen con alguna vergüenza, defraudadas.)*

Lolita.—Tampoco está aquí.
Esperanza.—*(Triste.)* Nos evita.
Lolita.—¿Tú crees?
Esperanza.—Habla con nosotras por condescenden-
cia..., pero nos desprecia. Sabe que no le entendemos.
Lolita.—¿No será que haya... alguna mujer?
Esperanza.—Lo habríamos notado.
Lolita.—¡Quién sabe! Es tan hermético... Tal vez
haya una mujer.
Esperanza.—Vamos a buscar en el salón.
Lolita.—Vamos.

> *(Salen por la izquierda, llamándolo. Pausa.
> Juana y Elisa discutían algo en la terraza.
> Elisa está muy alterada; intenta despren-
> derse de Juana para entrar en el fumadero
> y ésta trata de retenerla.)*

Elisa.—*(Todavía en la terraza.)* ¡Déjame! Estoy ya
harta de Ignacio.

> *(Se separa y cruza la portalada, mientras
> Ignacio levanta la cabeza.)*

Juana.—*(Tras ella.)* Vamos, tranquilízate. Siéntate
aquí.
Elisa.—¡No quiero!
Juana.—Siéntate...

> *(La sienta cariñosamente en el sofá y se aco-
> moda a su lado.)*

ELISA.—¡Le odio! ¡Le odio!

JUANA.—Un momento, Elisita. *(Alzando la voz.)* ¿Hay alguien aquí?

> (IGNACIO *no contesta.* JUANA *coge una mano de su amiga.)*

ELISA.—¡Cómo le odio!

JUANA.—No es bueno odiar...

ELISA.—Me ha quitado a Miguelín y nos quitará la paz a todos. ¡Mi Miguelín!

JUANA.—Volverá. No lo dudes. Él te quiere. ¡Si, en realidad, no ha pasado nada! Un poco indiferente tal vez, estos días..., porque Miguelín fue siempre un veleta para las novedades. Ignacio es para él una distracción pasajera. ¡Y, en fin de cuentas, es un hombre! Si tuvieras que sufrir alguna veleidad de Miguelín con otra chica... Y aun eso no significaría que hubiera dejado de quererte.

ELISA.—¡Preferiría que me engañase con otra chica!

JUANA.—¡Qué dices, mujer!

ELISA.—Sí. Esto es peor. Ese hombre le ha sorbido el seso y yo no tengo ya lugar en sus pensamientos.

JUANA.—Creo que exageras.

ELISA.—No... Pero oye, ¿no hay nadie aquí?

JUANA.—No.

ELISA.—Me parecía... *(Pausa. Volviendo a su tono de exaltación.)* Te lo dije el primer día, Juanita. Ese hombre está cargado de maldad. ¡Cómo lo adiviné! ¡Y esa afectación de Cristo martirizado que emplea para ganar adeptos! Los hombres son imbéciles. Y Miguelín, el más tonto de todos. ¡Pero yo le quiero!

(Llora en silencio.)

JUANA.—Te oigo, Elisa. No llores...

ELISA.—*(Levantándose para pasear su angustia.)* ¡Es que le quiero, Juana!

JUANA.—Lo que Miguelín necesita es un poco de indiferencia por tu parte. No le persigas tanto.

ELISA.—Ya sé que me pongo en ridículo. No lo puedo remediar.

> *(Se para junto a* IGNACIO, *que no respira, y seca sus ojos por última vez para guardar el pañuelo.)*

JUANA.—¡Inténtalo! Así volverá.

ELISA.—¿Cómo voy a intentarlo con ese hombre entre nosotros? Su presencia me anula… ¡Ah! ¡Con qué gusto le abofetearía! ¡Quisiera saber qué se propone!

> *(Engarfia las manos en el aire. Mas de pronto comienza a volverse lentamente hacia* IGNACIO, *sin darse cuenta todavía de que siente su presencia.)*

JUANA.—No se propone nada. Sufre… y nosotros no sabemos curar su sufrimiento. En el fondo es digno de compasión.

> *(Las palabras de* JUANA *hacen volver otra vez la cabeza a* ELISA. *No ha llegado a sospechar nada.)*

ELISA.—*(Avanzando hacia* JUANA.) Le compadeces demasiado. Es un egoísta. ¡Que sufra solo y no haga sufrir a los demás!

JUANA.—*(Sonriente.)* Anda, siéntate y no te alteres. *(Se levanta y va hacia ella.)* Acusas a Ignacio de egoísta. ¿Y qué va a hacer, si sufre? También convendría menos egoísmo por nuestra parte. Hay que ser caritativos con las flaquezas ajenas y aliviarlas con nuestra dulzura…

(Breve pausa.)

ELISA.—(*De pronto, exaltada, oprimiendo los brazos de* JUANA.) ¡No, no, Juana! ¡Eso, no!

JUANA.—(*Alarmada.*) ¿Qué?

ELISA.—¡Eso, no, querida mía! ¡Eso, no!

JUANA.—¡Pero habla! No, ¿el qué?

ELISA.—¡Tu simpatía por Ignacio!

JUANA.—(*Molesta.*) ¿Qué dices?

ELISA.—¡Prométeme ser fuerte! ¡Por amor a Carlos, prométemelo! (*Zarandeándola.*) ¡Prométemelo, Juana!

JUANA.—(*Fría.*) No digas tonterías. Yo quiero a Carlos y no pasará nada. No sé qué piensas que pueda ocurrir.

ELISA.—¡Todo! ¡Todo puede ocurrir! ¡Ese hombre me ha quitado a Miguelín y tú estás en peligro! ¡Prométeme evitarlo! ¡Por Carlos, prométemelo!

JUANA.—(*Muy alterada.*) ¡Elisa, cállate inmediatamente! ¡No te consiento…!

(*Se separa de ella con brusquedad. Pausa.*)

ELISA.—(*Lenta, separándose.*) ¡Ah! ¡Soy tu mejor amiga y no me consientes! ¡También ha hecho presa en ti! ¡Estás en manos de ese hombre y no te das cuenta!

JUANA.—¡Elisa!

ELISA.—¡Me das lástima! ¡Y me da lástima Carlos, porque va a sufrir como yo sufro!

JUANA.—(*Gritando.*) ¡Elisa! ¡O callas, o…!

(*Va hacia ella.*)

ELISA.—¡Déjame! ¡Déjame sola con mi pena! Es inútil luchar. ¡Es más fuerte que todos! ¡Nos lo está quitando todo! ¡Todo! ¡Hasta nuestra amistad! ¡No te reconozco!… ¡No te reconozco!…

(*Se va, llorando, por el foro.* JUANA, *agitada y dolida, vacila en seguirla.* IGNACIO *se levanta.*)

IGNACIO.—Juana. *(Ella ahoga un grito y se vuelve hacia* IGNACIO. *Él llega.)* Estaba aquí y os he oído. ¡Pobre Elisa! No le guardo rencor.

JUANA.—*(Tratando de reprimir su temblor.)* ¿Por qué no avisaste?

IGNACIO.—No me arrepiento. ¡Juana! *(Le coge una mano.)* Me has dado mi primer momento de felicidad. ¡Gracias! ¡Si supieras qué hermoso es sentirse comprendido! ¡Qué bien has adivinado en mí! Tienes razón. Sufro mucho. Y ese sufrimiento me lleva...

JUANA.—Ignacio... ¿Por qué no intentas reprimirte? Yo sé muy bien que no deseas el mal, pero lo estás haciendo.

IGNACIO.—No puedo contenerme. No puedo dejar en la mentira a la gente cuando me pregunta... ¡Me horroriza el engaño en que viven!

JUANA.—¡Guerra nos has traído y no paz!

IGNACIO.—Te lo dije... *(Insinuante.)* En este mismo sitio. Y estoy venciendo... Recuerda que tú lo quisiste.

(Breve pausa.)

JUANA.—¿Y si yo te pidiera ahora, por tu bien, por el mío y el de todos, que te marcharas?

IGNACIO.—*(Lento.)* ¿Lo quieres de verdad?

JUANA.—*(Con voz muy débil.)* Te lo ruego.

IGNACIO.—No. No lo quieres. Tú quieres aliviar mi pena con tu dulzura... ¡Y vas a dármela! ¡Tú me la darás! Tú, que me has comprendido y defendido. ¡Te quiero, Juana!

JUANA.—¡Calla!

IGNACIO.—Te quiero a ti, y no a ninguna de esas otras. ¡A ti y desde el primer día! Te quiero por tu bondad, por tu encanto, por la ternura de tu voz, por la suavidad de tus manos... *(Transición.)* Te quiero y te necesito. Tú lo sabes.

JUANA.—¡Por favor! ¡No debes hablar así! Olvidas que
Carlos...

IGNACIO.—*(Irónico.)* ¿Carlos? Carlos es un tonto que
te dejaría por una vidente. Él cree que nuestro mundo
y el de ellos es el mismo... Él querría otra doña Pepita.
Otra fea doña Pepita que mirase por él... Desearía una
mujer completa, y a ti te tiene como un mal menor.
(Transición.) ¡Pero yo no quiero una mujer, sino una
ciega! ¡Una ciega de mi mundo de ciegos, que comprenda!... Tú. Porque tú sólo puedes amar a un ciego
verdadero, no a un pobre iluso que se cree normal. ¡Es
a mí a quien amas! No te atreves a decírmelo, ni a
confesártelo... Serías la excepción. No te atreves a decir
«te quiero». Pero yo lo diré por ti. Sí, me quieres; lo
estás adivinando ahora mismo. Lo delata la emoción de
tu voz. ¡Me quieres con mi angustia y mi tristeza, para
sufrir conmigo de cara a la verdad y de espaldas a todas
las mentiras que pretenden enmascarar nuestra desgracia! ¡Porque eres fuerte para eso y porque eres buena!

(La abraza apasionadamente.)

JUANA.—*(Sofocada.)* ¡No!

(IGNACIO *le sella la boca con un beso prolon-
gado.* JUANA *apenas resiste. Por la derecha
han entrado* DON PABLO *y* CARLOS. *Se detienen, sorprendidos.*)

DON PABLO.—¿Eh?

(IGNACIO *se separa bruscamente, sin soltar a*
JUANA. *Los dos escuchan, agitadísimos.*)

CARLOS.—Ha sonado un beso...

(JUANA *se retuerce las manos.*)

Don Pablo.—*(Jovial.)* ¡Qué falta de formalidad! ¿Quiénes son los tortolitos que se arrullan por aquí? ¡Tendré que amonestarlos! *(Nadie responde. Demudada,* Juana *vacila en romper a hablar.* Ignacio *le aprieta con fuerza el brazo.)* ¿No contestáis? (Ignacio, *con el bastón levantado del suelo, conduce rápidamente a* Juana *hacia la portalada. Sus pasos no titubean; todo él parece estar poseído de una nueva y triunfante seguridad. Ella levanta y baja la cabeza, llena de congoja. Convulsa y medio arrastrada, casi corriendo, se la ve pasar tras* Ignacio, *que no la suelta, a través de la cristalera del foro.* Don Pablo, *jocosamente.)* ¡Se han marchado! Les dio vergüenza.

Carlos.—*(Serio.)* Sí.

TELÓN

Saloncito en la Residencia. Amplio ventanal al fondo, con la cortina descorrida, tras el que resplandece la noche estrellada. Haciendo chaflán a la derecha, cortina que oculta una puerta. En el chaflán de la izquierda, un espléndido aparato de radio. En lugar apropiado, estantería con juegos diversos y libros para ciegos. Algún cacharro con flores. En el primer término izquierdo, puerta con su cortina. En el primer término y hacia la derecha, velador de ajedrez con las fichas colocadas, y dos sillas. Bajo el ventanal y hacia el centro de la escena, sofá. Cerca de la radio, una mesa con una lámpara portátil apagada.

Sillones, veladores. Encendida la luz central.

> (ELISA, *sentada a la derecha del sofá, llora*
> *amargamente.* CARLOS *está sentado junto al*
> *ajedrez, jugando consigo mismo una partida,*
> *con la que intenta distraer su preocupación.*
> *Lleva la camisa desabrochada y la corbata*
> *floja.)*

ELISA.—¡Somos muy desgraciados, Carlos! ¡Muy desgraciados! ¿Por qué nos enamoraremos? Quisiera saberlo. *(Breve pausa.)* Ahora comprendo que no me quería.

CARLOS.—Te quería y te quiere. Es Ignacio el culpable de todo. Miguelín es muy joven. Sólo tiene diecisiete años y...

ELISA.—¿Verdad? Si yo misma quiero convencerme de que Miguelín volverá... ¡Pero dudo, Carlos, dudo horriblemente! *(Llora de nuevo. Se calma.)* ¡Qué egoísta soy! También tú sufres, y yo no reparo en hacerte mi paño de lágrimas.

(Se levanta para ir a su lado.)

CARLOS.—Yo no sufro.

ELISA.—Sí sufres, sí… Sufres por Juana. *(Movimiento de* CARLOS.) ¡Por esa grandísima coqueta!

CARLOS.—¡Ojalá fuese coquetería!

ELISA.—¿Y dices que no sufres? (CARLOS *oculta la cabeza entre las manos.)* ¡Pobre! Ignacio nos ha destrozado a los dos.

CARLOS.—A mí no me ha destrozado nadie.

ELISA.—No finjas conmigo… Comprendo muy bien tu pena, porque es como la mía. Te destroza el abandono de Juana y te duele aún más, como a mí, la falta de una explicación definitiva… ¡Es espantoso! Parece que nada ha pasado, y los dos sabemos en nuestro corazón que todo se ha perdido.

CARLOS.—*(Con ímpetu.)* ¡No se ha perdido nada! ¡No puede perderse nada! Me niego a sufrir.

ELISA.—¡Me asustas!

CARLOS.—Sí. Me niego a sufrir. ¿Dices que soy desgraciado? ¡Es mentira! ¿Que sufro por Juana? No puedo sufrir por ella porque no ha dejado de quererme. ¿Entiendes? ¡No ha dejado de quererme! Tiene que ser así y es así.

ELISA.—*(Compadecida.)* ¡Pobre!… ¡Qué dolor el tuyo…, y sin lágrimas! ¡Llora, llora como yo! ¡Desahógate!

CARLOS.—*(Tenaz.)* Me niego a llorar. ¡Llora tú si quieres! Pero harás mal. Tampoco tienes motivo. ¡No debes tenerlo! Miguelín te quiere y volverá a ti. Juana no ha dejado de quererme.

ELISA.—Me explico tu falta de valor para reconocer

los hechos... Yo también he querido —¡y aún quiero a veces!— engañarme, pero...

CARLOS.—*(En el colmo de la desesperación.)* Pero ¿no comprendes que no podemos dejarnos vencer por Ignacio? ¡Si sufrimos por su culpa, ese sufrimiento será para él una victoria! Y no debemos darle ninguna. ¡Ninguna!

ELISA.—*(Asustada.)* Pero en la intimidad podemos alguna vez compadecernos mutuamente...

CARLOS.—Ni en la intimidad siquiera.

> *(Pausa. Poco a poco, inclina de nuevo la cabeza. JUANA entra por la puerta del chaflán.)*

JUANA.—¿Ignacio? (ELISA *abre la boca.* CARLOS *le aprieta el brazo para que calle.)* Tampoco está aquí. Dónde estará el pobre...

> *(Avanza hacia el lateral izquierdo y desaparece por la puerta.)*

ELISA.—*(Emocionada.)* ¡Carlos!

CARLOS.—Calla.

ELISA.—¡Oh! ¿Qué te pasa? No estás normal... Yo no hubiera podido resistirlo.

CARLOS.—*(Casi sonriente.)* Si no ocurre nada, mujer... Otra... Otra que busca al pobre Ignacio, que le llama por las habitaciones... Nada.

ELISA.—No te entiendo. No sé si estás desesperado o loco.

CARLOS.—Ninguna de las dos cosas. Nunca tuve el juicio más claro que ahora. *(Le da palmaditas en la mano.)* ¡Anímate, Elisa! Todo se arreglará.

> *(Entran por el chaflán IGNACIO y MIGUELÍN, charlando con animación. ELISA se oprime las manos al oírlos.)*

IGNACIO.—No todas las mujeres son iguales, aunque es indudable que las ciegas se llevan muy poco entre ellas..., con alguna excepción. Conocí una vez a una muchacha vidente...

MIGUEL.—*(Interrumpe, impulsivo.)* Son muy simpáticas las chicas videntes. Yo conozco a una que se llama Carmen y que era mi vecina. Yo no la hacía caso, pero ella estaba por mí...

IGNACIO.—¿Sabes si era fea?

MIGUEL.—*(Cortado.)* Pues... no... No llegué a enterarme.

CARLOS.—Buenas noches, amigos. ¿No os sentáis?

MIGUEL.—*(Inmutado.)* ¡Hombre, Carlos, tengo ganas de hablar contigo! No sé cómo me las arreglo que nunca encuentro la manera de charlar contigo. Ni con Elisa.

ELISA.—*(Con esfuerzo.)* Estás a tiempo.

MIGUEL.—*(Con desgana.)* ¡Caramba, si está Elisa contigo! Y ¿cómo te va, Elisa?

ELISA.—*(Seca.)* Bien, gracias.

MIGUEL.—*(Trivial.)* ¡Vaya! Me alegro.

CARLOS.—*(Articulando con mucha claridad.)* Creo que Juanita andaba por ahí buscándote, Ignacio.

(ELISA *se queda sobrecogida.*)

IGNACIO.—*(Turbado.)* No... No sé...

CARLOS.—Sí. Sí. Te buscaba.

IGNACIO.—*(Repuesto.)* Es posible. Teníamos que hablar de algunas cosas.

MIGUEL.—Oye, Ignacio. Creo que podrías seguir hablando de esa muchacha vidente a quien conociste. Elisa y Carlos no tendrán inconveniente.

CARLOS.—Ninguno.

IGNACIO.—A Carlos y Elisa no les interesan estos temas. Son muy abstractos.

CARLOS.—Creo que una muchacha de carne y hueso no es nada abstracta.

IGNACIO.—Pero ve. ¿Quieres más abstracción para nosotros?

ELISA.—*(Con violencia.)* Me disculparéis, pero Ignacio tiene razón; no puedo soportar esos temas. Me voy
a acostar.

CARLOS.—A tu gusto. Perdona que no te acompañe;
quisiera continuar charlando con Ignacio. Miguelín te
acompañará.

(MIGUELÍN *acoge con desagrado la indica-
ción.*)

ELISA.—*(Agria.)* Que no se moleste por mí. Miguelín
quiere seguramente seguir hablando contigo... y con
Ignacio.

MIGUEL.—*(Sin pizca de alegría.)* Qué tonterías dices...
Te acompañaré con mucho gusto.

ELISA.—Como quieras. Buenas noches a los dos.

IGNACIO.—Buenas noches.

CARLOS.—Hasta mañana, Elisa.

(ELISA *se va por la izquierda.* MIGUELÍN *la
sigue como un perro apaleado.* CARLOS *e* IG-
NACIO *se acomodan en dos sillones de la izquierda, pero antes de que comiencen a
hablar entra por el chaflán* DOÑA PEPITA.)

DOÑA PEPITA.—¡Buenas noches! ¿No se acuestan ustedes?

(CARLOS *e* IGNACIO *se levantan.*)

CARLOS.—Es pronto.

DOÑA PEPITA.—Siéntense, por favor. Y usted, hombre
del bastón, ¿no dice nada?

IGNACIO.—Buenas noches.

DOÑA PEPITA.—¡Alégrese, hombre! Le encuentro cada
día más mustio. Bueno, prosigan su charla. Yo voy a
dar una vuelta por los dormitorios. Hasta ahora.

CARLOS.—Adiós, doña Pepita.

(DOÑA PEPITA *se va por la izquierda. Pausa.*)

IGNACIO.—Supongo que si quieres quedarte conmigo no será para hablar de la muchacha vidente.

CARLOS.—Supones bien.

IGNACIO.—Me has hablado varias veces y siempre del mismo tema. ¿También es hoy del mismo tema?

CARLOS.—También.

IGNACIO.—Paciencia. ¿Podrías decirme si tendremos que hablar muchas veces todavía de lo mismo?

CARLOS.—Creo que serán pocas... Quizá esta sea la última.

IGNACIO.—Me alegro. Puedes empezar cuando quieras.

CARLOS.—Ignacio... El día en que viniste aquí quisiste marcharte al poco rato. *(Con amargura.)* Lo supe en la época en que Juana aún me hacía confidencias. Tuviste entonces una buena idea, y creo que es el momento de ponerla en práctica. ¡Márchate!

IGNACIO.—Parece una orden...

CARLOS.—Cuya conveniencia estoy dispuesto a explicarte.

IGNACIO.—Te envía don Pablo, ¿verdad?

CARLOS.—No. Pero debes irte.

IGNACIO.—¿Por qué?

CARLOS.—Debes irte porque tu influencia está pesando demasiado sobre esta casa. Y tu influencia es destructora. Si no te vas, esta casa se hundirá. ¡Pero antes de que eso ocurra, tú te habrás ido!

IGNACIO.—Palabrería. No pienso marcharme, naturalmente. Ya sé que algunos lo deseáis. Empezando por don Pablo. Pero él no se atreve a decirme nada, porque no hay motivo para ello. ¿De verdad no me hablas... en su nombre?

CARLOS.—Es el interés del Centro el que me mueve a hablarte.

IGNACIO.—Más palabrería. ¡Qué aficionado eres a los tópicos! Pues escúchame. Estoy seguro de que la mayoría de los compañeros desea mi permanencia. Por lo tanto, no me voy.

CARLOS.—¡Qué te importan a ti los compañeros!

(Breve pausa.)

IGNACIO.—El mayor obstáculo que hay entre tú y yo está en que no me comprendes. *(Ardientemente.)* ¡Los compañeros, y tú con ellos, me interesáis más de lo que crees! Me duele como una mutilación propia vuestra ceguera; ¡me duele, a mí, por todos vosotros! *(Con arrebato.)* ¡Escucha! ¿No te has dado cuenta al pasar por la terraza de que la noche estaba seca y fría? ¿No sabes lo que eso significa? No lo sabes, claro. Pues eso quiere decir que ahora están brillando las estrellas con todo su esplendor, y que los videntes gozan de la maravilla de su presencia. Esos mundos lejanísimos están ahí, *(Se ha acercado al ventanal y toca los cristales.)* tras los cristales, al alcance de nuestra vista…, ¡si la tuviéramos! *(Breve pausa.)* A ti eso no te importa, desdichado. Pues yo las añoro, quisiera contemplarlas; siento gravitar su dulce luz sobre mi rostro, ¡y me parece que casi las veo! *(Vuelto extáticamente hacia el ventanal. CARLOS se vuelve un poco, sugestionado a su pesar.)* Bien sé que si gozara de la vista moriría de pesar por no poder alcanzarlas. ¡Pero al menos las vería! Y ninguno de nosotros las ve, Carlos. ¿Y crees malas estas preocupaciones? Tú sabes que no pueden serlo. ¡Es imposible que tú —por poco que sea— no las sientas también!

CARLOS.—*(Tenaz.)* ¡No! Yo no las siento.

IGNACIO.—No las sientes, ¿eh? Y ésa es tu desgracia: no sentir la esperanza que yo os he traído.

CARLOS.—¿Qué esperanza?

IGNACIO.—La esperanza de la luz.

CARLOS.—¿De la luz?

IGNACIO.—¡De la luz, sí! Porque nos dicen incurables; pero ¿qué sabemos nosotros de eso? Nadie sabe lo que el mundo puede reservarnos; desde el descubrimiento científico... hasta el milagro.

CARLOS.—*(Despectivo.)* ¡Ah, bah!

IGNACIO.—Ya, ya sé que tú lo rechazas. ¡Rechazas la fe que te traigo!

CARLOS.—¡Basta! Luz, visión... Palabras vacías. ¡Nosotros estamos ciegos! ¿Entiendes?

IGNACIO.—Menos mal que lo reconoces... Creí que sólo éramos... invidentes.

CARLOS.—¡Ciegos, sí! Sea.

IGNACIO.—¿Ciegos de qué?

CARLOS.—*(Vacilante.)* ¿De qué?...

IGNACIO.—¡De la luz! De algo que anhelas comprender... aunque lo niegues. *(Transición.)* Escucha: yo sé muchas cosas. Yo sé que los videntes tratan a veces de imaginarse nuestra desgracia, y para ello cierran los ojos. *(La luz del escenario empieza a bajar.)* Entonces se estremecen de horror. Alguno de ellos enloqueció, creyéndose ciego..., porque no abrieron a tiempo la ventana de su cuarto. *(El escenario está oscuro. Sólo las estrellas brillan en la ventana.)* ¡Pues en ese horror y en esa locura estamos sumidos nosotros!... ¡Sin saber lo que es! *(Las estrellas comienzan a apagarse.)* Y por eso es para mí doblemente espantoso. *(Oscuridad absoluta en el escenario y en el teatro.)* Nuestras voces se cruzan... en la tiniebla.

CARLOS.—*(Con ligera aprensión en la voz.)* ¡Ignacio!

IGNACIO.—Sí. Es una palabra terrible por lo misteriosa. Empiezas..., empiezas a comprender. *(Breve pausa.)* Yo he sentido cómo los videntes se alegran cuando vuelve la luz por la mañana. *(Las estrellas comienzan a lucir de nuevo, al tiempo que empieza a iluminarse otra vez el escenario.)* Van identificando los objetos, gozándose en sus formas y sus... colores. ¡Se saturan de la alegría de la luz, que es para ellos como un verdadero don de Dios! Un don tan grande, que se ingeniaron para producirlo de noche. Pero para nosotros todo es igual. La luz puede volver; puede ir sacando de la oscuridad las formas y los colores; puede dar a las cosas su plenitud de existencia. (*La luz del escenario y de las estrellas ha vuelto del todo.*) ¡Incluso a las lejanas estrellas! ¡Es igual! Nada vemos.

CARLOS.—(*Sacudiendo con brusquedad la involuntaria influencia sufrida a causa de las palabras de* IGNACIO.) ¡Cállate! Te comprendo, sí; te comprendo; pero no te puedo disculpar. (*Con el acento del que percibe una revelación súbita.*) Eres... ¡un mesiánico desequilibrado! Yo te explicaré lo que te pasa: tienes el instinto de la muerte. Dices que quieres ver... ¡Lo que quieres es morir!

IGNACIO.—Quizá... Quizá. Puede que la muerte sea la única forma de conseguir la definitiva visión...

CARLOS.—O la oscuridad definitiva. Pero es igual. Morir es lo que buscas, y no lo sabes. Morir y hacer morir a los demás. Por eso debes marcharte. ¡Yo defiendo la vida! ¡La vida de todos nosotros, que tú amenazas! Porque quiero vivirla a fondo, cumplirla; aunque no sea pacífica ni feliz. Aunque sea dura y amarga. ¡Pero la vida sabe a algo, nos pide algo, nos reclama! (*Pausa breve.*) Todos luchábamos por la vida aquí... hasta que tú viniste. ¡Márchate!

IGNACIO.—Buen abogado de la vida eres. No me sorprende. La vida te rebosa. Hablas así y quieres que me vaya por una razón bien vital: ¡Juana!

(*Por la izquierda aparece* DOÑA PEPITA, *que los observa.*)

CARLOS.—(*Levanta los puños amenazantes.*) ¡Ignacio!

DOÑA PEPITA.—(*Rápida.*) ¿Todavía aquí? Se ve que la charla es interesante. (CARLOS *baja los brazos.*) Parece como si estuviera usted representando, querido Carlos.

CARLOS.—*(Reportándose.)* Casi, casi, doña Pepita.

DOÑA PEPITA.—*(Cruzando.)* Váyanse a acostar y será mejor. Don Pablo y yo vendremos ahora a trabajar un rato. Buenas noches.

CARLOS E IGNACIO.—Buenas noches.

(DOÑA PEPITA *se vuelve y los mira con gesto dubitativo desde el chaflán. Después se va.*)

CARLOS.—*(Sereno.)* Has pronunciado el nombre de Juana. Juana no tiene ninguna relación con esto. Prescindamos de ella.

IGNACIO.—¡Cómo! ¡Me la citas dos veces y dices ahora que es asunto aparte! No te creía tan hipócrita. Juana es la razón de tu furia, amigo mío...

CARLOS.—No estoy furioso.

IGNACIO.—Pues de tu disgusto. El recuerdo de Juana es el culpable de ese hermoso canto a la vida que me has brindado.

CARLOS.—¡Te repito que dejemos a Juana! Antes de que... la envenenaras, ya te había hablado yo por primera vez.

IGNACIO.—Mientes. Ya entonces no era totalmente tuya, y tú lo presentías. Pues bien: ¡Quiero a Juana! Es cierto. Tampoco yo estoy desprovisto de razones vitales. ¡Y por ella no me voy! Como por ella quieres tú que me marche. *(Pausa breve.)* Te daré una alegría momentánea: Juana no es aún totalmente mía.

CARLOS.—*(Tranquilo.)* En el fondo de todos los tipos como tú hay siempre lo mismo: baja y cochina lascivia. Ésa es la razón de tu misticismo. No volveré a hablarte de esto. Te marcharás de aquí sea como sea.

IGNACIO.—*(Riendo.)* Carlitos, no podrás hacer nada contra mí. No me iré de ningún modo. Y aunque algunas veces pensé en el suicidio, ahora ya no pienso hacerlo.

CARLOS.—Esperas, sin duda, a que te dé el ejemplo alguno de los muchachos que has sabido conducir al desaliento.

IGNACIO.—*(Cansado.)* No discutamos más. Y dispensa mis ironías. No me agradan, pero tú me provocas demasiado. Lo siento. Y ahora, sí me marcho, pero va a ser al campo de deportes. La noche está muy agradable y quiero cansarme un poco para dormir. *(Serio.)* Las maravillosas estrellas verterán su luz para mí, aunque no las vea. *(Se dirige al chaflán.)* ¿No quieres acompañarme?

CARLOS.—No.

IGNACIO.—Adiós.

CARLOS.—Adiós. (IGNACIO *sale.* CARLOS *se deja caer en una de las sillas del ajedrez y tantea abstraído las piezas. Habla solo, con rabia contenida.)* ¡No, no quiero acompañarte! Nunca te acompañaré a tu infierno. ¡Que lo hagan otros!

> *(Momentos después entran por el chaflán* DON PABLO *y* DOÑA PEPITA. *Ésta trae su cartera de cuero.)*

DOÑA PEPITA.—¿Aún aquí?

CARLOS.—*(Levantando la cabeza.)* Sí, doña Pepita. No tengo sueño.

DON PABLO.—*(Que ha sido conducido por* DOÑA PEPITA *al sofá.)* Buenas noches, Carlos.

CARLOS.—Buenas noches, don Pablo.

DOÑA PEPITA.—*(Curiosa.)* ¿Se fue ya Ignacio a acostar?

CARLOS.—Sí... Creo que sí.

DON PABLO.—*(Grave.)* Me alegro de encontrarle aquí, Carlos. Quería precisamente hablar con usted de Ignacio. ¿Quieres darme un cigarrillo, Pepita? (DOÑA PEPITA *saca de su cartera un paquete de tabaco y extrae un cigarrillo.)* Sí, Carlos. Creo que esto no es ya una puerilidad. (*A* DOÑA PEPITA, *que le pone el cigarrillo en la boca y se lo enciende.)* Gracias. (DOÑA PEPITA *se sienta a la mesa, saca papeles de la cartera y comienza a ano-*

tarlos con la estilográfica.) La situación a que ha llegado el Centro es grave. ¿Usted cree posible que un
solo hombre pueda desmoralizar a cien compañeros?
Yo no me lo explico.

Doña Pepita.—Hay un detalle que aún no sabes...
Muchos estudiantes han empezado a descuidar su indu-
mentaria.

Don Pablo.—¿Sí?

Doña Pepita.—No envían sus trajes a planchar... o
prescinden de la corbata, como Ignacio.

(*Pausa breve.* Carlos *palpa involuntaria-
mente la suya.*)

Don Pablo.—Supongo que no dejará de hablar en
todo el día. Y aun así, tiene que faltarle tiempo. ¿Usted
qué opina, Carlos? (*Pausa.*) ¿Eh?

(Doña Pepita *mira a* Carlos.)

Carlos.—Perdone. ¿Decía...?

Don Pablo.—Que cómo es posible que Ignacio se
baste y se sobre para desalentar a tantos invidentes re-
motos. ¿Qué saben ellos de la luz?

Carlos.—(*Grave.*) Acaso porque la ignoran les
preocupe.

Don Pablo.—(*Sonriente.*) Eso es muy sutil, hijo mío.

(*Se levanta.*)

Carlos.—Pero es real. Mis desgraciados compañeros
sufren la fascinación de todo lo misterioso. ¡Es una
pena! Por lo demás, Ignacio no está solo. Él ha lanzado
una semilla que ha dado retoños y ahora tiene muchos
auxiliares inconscientes. (*Breve pausa. Triste.*) Y los primeros, las muchachas.

Doña Pepita.—(*Suave.*) Yo creo que esos retoños carecen de importancia. Si Ignacio, por ejemplo, se marchase, se les iría con él la fuerza moral para continuar su labor negativa.

DON PABLO.—Si Ignacio se marchase todo se arreglaría. Podríamos echarlo, pero eso sería terrible para el prestigio del Centro. ¿No podría usted, por lo pronto, insinuarle a título particular —¡y con mucha suavidad, desde luego!— la conveniencia de su marcha? *(Pausa.)* ¡Carlos!

CARLOS.—Perdón. Estaba distraído. No le he entendido bien...

DOÑA PEPITA.—Está usted muy raro esta noche. Don Pablo le decía que si no podría usted sugerirle a Ignacio que se marchase.

DON PABLO.—Salvo que tenga alguna idea mejor...

(Breve pausa.)

CARLOS.—He hablado ya con él.

DON PABLO.—¿Sí? ¿Y qué?

CARLOS.—Nada. Dice que no se irá.

DON PABLO.—Le hablaría cordialmente, con todo el tacto necesario...

CARLOS.—Del modo más adecuado. No se preocupe por eso.

DON PABLO.—¿Y por qué no quiere irse?

(Pausa. DOÑA PEPITA mira curiosamente a CARLOS.)

CARLOS.—No lo sé.

DON PABLO.—¡Pues de un modo u otro tendrá que irse!

CARLOS.—Sí. Tiene que irse.

DON PABLO.—*(Con aire preocupado.)* Tiene que irse. Es el enemigo más desconcertante que ha tenido nuestra obra hasta ahora. No podemos con él, no... Es refractario a todo. *(Impulsivo.)* Carlos, piense usted en algún remedio. Confío mucho en su talento.

Doña Pepita.—Bueno. Ya lo estudiaremos despacio. Creo que deberían irse a descansar: es muy tarde.

Don Pablo.—Será lo mejor. Pero esta noche tampoco dormiré. ¿Vienes, Pepita?

Doña Pepita.—Aún no. Voy a terminar estas notas.

Don Pablo.—Buenas noches entonces. No olvide nuestro asunto, Carlos.

(Carlos *no contesta.*)

Doña Pepita.—Adiós. Que descanses. (Don Pablo *se va por la izquierda.* Doña Pepita *se levanta y se acerca a* Carlos. *Afectuosa, como siempre que se dirige a él.*) ¿Usted no se acuesta hoy?

Carlos.—*(Sobresaltado.)* ¿Eh?

Doña Pepita.—Pero ¿qué le ocurre, hombre?

Carlos.—*(Tratando de sonreír.)* Nada.

Doña Pepita.—Váyase a la cama. Le hace falta.

Carlos.—Sí. Me duele la cabeza. Pero no tengo sueño.

Doña Pepita.—Como quiera, hijo. *(Enciende el portátil. Después va al chaflán y apaga la luz central. Vuelve a sentarse y empieza a murmurar repasando sus notas. Escribe. De pronto para la pluma y mira a* Carlos, *que se está levantando.)* ¿Le dijo a Ignacio que se marchara cuando los vi antes aquí? (Carlos *no contesta. Su expresión es extrañamente rígida. Lentamente, avanza hacia el chafán.* Doña Pepita, *sorprendida:*) ¿Se va usted?

Carlos.—*(Reportándose.)* Voy a tomar un poco el aire para despejarme. Que usted descanse. Buenas noches.

(Sale por el chaflán.)

Doña Pepita.—Buenas noches. Yo me voy ahora también. *(Le ve salir, con gesto conmiserativo. Después pro-*

sigue su trabajo. A poco se despereza. Mira el reloj de pulsera.) Las doce. *(Se levanta y enciende la radio. Manipula. Comienza a oírse suavemente un fragmento de «La muerte de Ase» del* Peer Gynt, *de Grieg.* DOÑA PEPITA *escucha unos momentos. Dirige una mirada de desgana a las cuartillas. Lentamente llega al ventanal y contempla la noche, con la frente en los cristales. De repente se estremece. Algo que ve, la intriga.)* ¿Eh? *(Sigue mirando, haciéndose pantalla con las manos. Con tono de extraordinaria sorpresa:)* ¿Qué hacen?

> *(Crispa las manos sobre el alféizar. Súbitamente retrocede como si la hubiesen dado un golpe en el pecho, mientras lanza un grito ahogado. Con la faz contraída por el horror, se vuelve. Se lleva las manos a la boca. Jadea. Al fin corre rápida al chaflán y sale. Por unos momentos se oye la melodía en la escena sola. Después, gritos lejanos, llamadas. Pausa. Por la puerta de la izquierda entran rápidamente* MIGUELÍN *y* ANDRÉS.*)*

ANDRÉS.—¿Qué pasa?

MIGUEL.—*(Sin dejar de andar.)* No sé. Del campo piden socorro y dicen que vayamos tres o cuatro. Avisa en el dormitorio de la derecha.

> *(Salen por el chaflán. Pausa.* ESPERANZA *aparece por la izquierda, temblorosa, tanteando el aire. Poco después entra por el chaflán* LOLITA, *también muy afectada. Ambas, en bata y pijama.)*

ESPERANZA.—¿Quién... quién es?

LOLITA.—*(Acercándose.)* ¡Esperanza!

> *(Se abrazan, en un rapto de miedo.)*

ESPERANZA.—¿Has oído?
LOLITA.—Sí.
ESPERANZA.—¿Qué ocurre?
LOLITA.—¡No lo sé!...

(Se separa para escuchar.)

ESPERANZA.—¡No me dejes! Tengo miedo.
LOLITA.—*(Abrazándose a ella de nuevo.)* No se oye
nada... Es horrible.
ESPERANZA.—*(Cayendo de rodillas.)* ¡Dios mío,
piedad!
LOLITA.—¡No me asustes! ¡Levanta!

(La ayuda a hacerlo.)

ESPERANZA.—Tengo la sensación de algo irreparable...
LOLITA.—¡Calla!
ESPERANZA.—Como si hubiésemos estado cometiendo
un gran error... Me siento vacía... Y sola...
LOLITA.—¡Oigo pasos! *(Se enfrenta con el chaflán.)*
¡Vámonos!
ESPERANZA.—*(Reteniéndola por una mano.)* ¡No me
dejes, Lolita! Estoy llena de pena... Duerme esta noche
conmigo.
LOLITA.—¡Se acercan!
ESPERANZA.—¡Ven a mi alcoba! Es terrible esta so-
ledad.
LOLITA.—Vamos, sí... Tengo frío...

*(Se apresuran a salir por la izquierda, muy
inquietas. Pausa. Se oyen murmullos después, y entran por el chaflán DOÑA PEPITA,
que enciende en seguida la luz central, y
tras ella ALBERTO y ANDRÉS, que traen el
cadáver de IGNACIO, cuya cabeza cuelga y se*

bambolea. Tras ellos, MIGUELÍN, PEDRO y
CARLOS. *Vienen agitados, pálidos de emoción.)*

DOÑA PEPITA.—Colóquenlo aquí, en el sofá. ¡Aprisa!
Miguelín, apague esa radio, por favor. (MIGUELÍN *lo hace
y queda junto al aparato.* DOÑA PEPITA *toca en el brazo
de* ANDRÉS.) Andrés, avise en seguida a don Pablo, se
lo ruego.
ANDRÉS.—Ahora mismo.

(Se va por la izquierda.)

DOÑA PEPITA.—*(Arrodillada, coge la muñeca de* IGNA-
CIO *y le pone el oído junto al corazón.)* ¡Está muerto!

(Con los ojos desorbitados, mira a CARLOS,
*que permanece impasible. Entra precipitada-
mente por la izquierda* DON PABLO. *Viene
a medio vestir y sin gafas. Detrás de él, entra de nuevo* ANDRÉS.)*

DON PABLO.— ¿Qué pasa? ¿Qué le ha ocurrido a Igna-
cio? ¿Estás aquí, Pepita?
DOÑA PEPITA.—Ignacio se ha matado. Está aquí, sobre
el sofá.
DON PABLO.—¿Se ha matado?... ¡No comprendo!
(Avanza hacia el sofá. Se inclina. Palpa.) ¿Cómo ha ocu-
rrido? ¿Dónde?
DOÑA PEPITA.—En el campo de deportes. Yo real-
mente no sé... Llegué después.
DON PABLO.—¿No sabe nadie cómo ha sido? ¿Quién
lo encontró primero?
CARLOS.—Yo.

(DOÑA PEPITA no le pierde de vista.)

Don Pablo.—¡Ah! Cuéntenos, cuéntenos, Carlos.

Carlos.—Poco puedo decir. Había salido para tomar el aire porque me dolía la cabeza. Me pareció oír ruidos hacia el tobogán... Me fui acercando. Al tiempo de llegar sentí un golpe sordo, muy fuerte. Y el movimiento del aire. Comprendí en seguida que debía tratarse de alguna desgracia. Llegué y palpé. Me pareció que era Ignacio. Se había caído desde la torreta y a su lado había una de las esterillas que se usan para el descenso. Entonces pedí socorro. Doña Pepita llegó en seguida y gritamos más... Después lo hemos traído aquí.

(*Entretanto* Doña Pepita *ha cubierto al muerto con el tapete de una de las mesitas.*)

Don Pablo.—¿Cómo es posible? ¡Ahora lo entiendo menos! No comprendo qué tenía que hacer Ignacio subido a estas horas en la torreta del tobogán...

Andrés.—Acaso se trate de un suicidio, don Pablo.

Alberto.—¿Y para qué quería la esterilla, entonces? Ignacio se ha matado cuando intentaba deslizarse por el tobogán. Eso está muy claro. Ya sabemos que era muy torpe para todo.

Don Pablo.—Pero él no era hombre para esas cosas... ¿Qué le importaba el juego del tobogán? Por su misma torpeza no quiso nunca entrenarse con ustedes en ningún deporte.

Miguel.—Permita, don Pablo, que el alumno más joven dé quizá con la razón que ustedes no encuentran. (*Expectación.*) Yo conocía muy bien a Ignacio. (*Dolorosamente.*) Precisamente porque le torturaban tanto sus miserias, acaso tratase de superarlas en secreto, simulando indiferencia por los juegos frente a nosotros. Creo que esta noche y muchas otras, seguramente, en que tardaba en llegar a nuestro cuarto, trataba de adquirir destreza sin necesidad de pasar por el ridículo. Ya saben que era muy susceptible...

Don Pablo.—*(A moro muerto, gran lanzada.)* En vez de aprender cuando se le indicaba, nos busca ahora esta complicación por su mala cabeza. Espero que esto sirva de lección a todos... *(Breve pausa, durante la que los estudiantes desvían la cabeza, avergonzados.)* Sí. Seguramente eso es lo que pasó. ¿No te parece, Pepita?

Doña Pepita.—*(Sin dejar de mirar a* Carlos.) Es muy posible...

Don Pablo.—¿Qué opina usted, Carlos?

Carlos.—Me parece que Miguelín ha dado en el clavo.

Don Pablo.—Menos mal. La hipótesis del suicidio era muy desagradable. No hubiera compaginado bien con la moral de nuestro Centro.

Doña Pepita.—¿Quieres que vaya a telefonear?

Don Pablo.—Es más indicado que vaya yo. Al padre también tendré que avisarle... ¡Pobre hombre! Recuerdo que me habló con miedo de los accidentes... ¡Pero un accidente puede ocurrirle a cualquiera, y nosotros podemos demostrar que el tobogán y los otros juegos responden a una adecuada pedagogía! ¿Verdad, Pepita?

Doña Pepita.—Sí, anda. No te preocupes por eso. Yo me quedaré aquí.

Don Pablo.—El muy... ¡torpe!, trataba de... ¡Claro!

(Se va por el chaflán. Entra por la izquierda, aún vestida, Elisa. Se detiene cerca de la puerta.)

Elisa.—¿Qué ha pasado? Dicen por ahí que Ignacio...

Miguel.—Ignacio se ha matado. Aquí está su cadáver.

Elisa.—*(Con sorpresa y sin emoción.)* ¡Oh!

(Instintivamente se acerca a Miguelín hasta tocarle. Desliza sus manos por la cintura de él, en un expresivo gesto de reapropiación. Miguelín le rodea fuertemente el talle. Poco

a poco, ELISA *reclina la cabeza sobre el hombro de* MIGUELÍN.)

DOÑA PEPITA.—Creo que deben marcharse todos de aquí. Muchas gracias por su ayuda y procuren no comentar demasiado con los compañeros. Buenas noches. *(Despide con palmaditas en el hombro a* PEDRO *y a* ALBERTO *por el chaflán.)* Recomienden que no venga nadie a esta habitación.

(ANDRÉS *se va también por la izquierda. Tras él,* MIGUELÍN *y* ELISA, *enlazados. Él va serio y tranquilo. Ella no puede evitar una sonrisa feliz.)*

ELISA.—Casi es mejor para él... No estaba hecho para la vida. ¿No te parece, Miguelín?

MIGUEL.—*(Cariñoso.)* Sí. Ha sido lo mejor que le podía ocurrir. Era muy torpe para todo.

(*Se oyen por la izquierda las llamadas de* JUANA, *que aparece en seguida, con bata, cruzando ante ellos.* MIGUELÍN, *contristado, intenta detenerla, mas* ELISA *lo retiene de nuevo, suave, y lo conduce a la puerta, por donde salen.)*

JUANA.—¡Carlos! ¡Carlos! ¿Estás aquí?

CARLOS.—Aquí estoy, Juana.

(*Ella le encuentra en el primer término y se arroja en sus brazos sollozando.)*

JUANA.—¡Carlos! (CARLOS *la acoge con una desencantada sonrisa.* DOÑA PEPITA *los mira dolorosamente.)* ¡Pobre Ignacio!

CARLOS.—Ya descansa.

JUANA.—Sí. Ahora es más feliz. *(Llora.)* ¡Perdóname! Sé que te he hecho sufrir...

CARLOS.—No tengo nada que perdonarte, querida mía.

JUANA.—¡Sí, sí! Tengo que confesarte muchas cosas... Me pesan horriblemente... Pero mi intención era buena, ¡te lo juro! ¡Yo nunca he dejado de quererte, Carlos!

CARLOS.—Lo sé, Juana, lo sé.

JUANA.—¿Me perdonarás? ¡Te lo confesaré todo! ¡Todo!

CARLOS.—No es preciso, ya que nada grave puede ser. Te lo perdono todo sin saberlo.

JUANA.—¡Carlos! *(Le besa impulsivamente.)*

DOÑA PEPITA.—*(Sombría.)* Será mejor que vuelva a su cuarto, señorita.

CARLOS.—Tiene usted razón. Vamos, Juanita. Debemos marcharnos.

> *(Enlazados; él, melancólico, y ella, vibrando, se dirigen a la izquierda.)*

DOÑA PEPITA.—*(Con trabajo.)* Usted quédese, Carlos. Quiero hablarle.

CARLOS.—*(Inclina la cabeza.)* Está bien. Adiós, Juana.

JUANA.—Hasta mañana, Carlos. ¡¡Y gracias!!

> *(Separan lentamente sus manos. JUANA se va. CARLOS queda en pie, aguardando. DOÑA PEPITA le mira angustiada. Una larga pausa.)*

DOÑA PEPITA.—Ha sido lamentable, ¿verdad?

CARLOS.—Sí.

> *(Pausa.)*

DOÑA PEPITA.—*(Se acerca, mirándole fijamente.)* Sería inútil negar que el Centro se ha librado de su mayor pe-

sadilla... Que todos vamos a descansar y a revivir...
La solución que antes reclamaba don Pablo... se ha
dado ya. *(Con acento de reproche.)* ¡Pero nadie espera-
ba... tanto!

CARLOS.—*(Terminante.)* Sea como sea, el peligro se
cortó a tiempo.

DOÑA PEPITA.—*(Amarga.)* ¿Usted cree?

CARLOS.—*(Despectivo.)* ¿No se dio cuenta? Muerto Ignacio sus mejores amigos le abandonan; murmuran sobre su cadáver. ¡Ah, los ciegos, los ciegos! ¡Se creen con
derecho a compadecerle; ellos, que son pequeños y vul-
gares! Miguelín y Elisa se reconcilian. Los demás respi-
ran como si les hubiesen librado de un gran peso. ¡Vuelve la alegría a la casa! ¡Todo se arregla!

DOÑA PEPITA.—Me apena oírle...

CARLOS.—*(Violento.)* ¿Por qué?

(Breve pausa.)

DOÑA PEPITA.—*(En un arranque.)* ¡Qué ha hecho
usted!

CARLOS.—*(Irguiéndose.)* No comprendo qué quiere
decir.

DOÑA PEPITA.—A veces, Carlos, creemos hacer un bien
y cometemos un grave error...

CARLOS.—No sé a qué se refiere.

DOÑA PEPITA.—Tampoco acertamos a comprender, a
veces, que no se nos habla para inquietarnos, sino para
consolarnos... Se nos acercan personas que nos quieren
y sufren al vernos sufrir, y no queremos entenderlo...
Las rechazamos cuando más desesperadamente necesitamos descansar en un pecho amigo...

CARLOS.—*(Frío.)* Muchas gracias por su afecto..., que
es innecesario ahora.

DOÑA PEPITA.—*(Cogiéndole las manos.)* ¡Hijo!

CARLOS.—*(Desasiéndose.)* No soy tonto, doña Pepita.

Comprendo de sobra lo que insinúa. Ignacio y yo, a la misma hora, en el campo de deportes... Esa suposición es falsa.

DOÑA PEPITA.—¡Claro que sí! ¡Falsa! No he dicho yo otra cosa. *(Lenta.)* Ni pienso decir otra cosa.

CARLOS.—No puedo agradecérselo. Nada hice.

DOÑA PEPITA.—*(Con una fugaz mirada al muerto.)* Y el pobre Ignacio ya nada podrá decir... Pero cálmese, Carlos... Suponiendo que fuese cierto... *(Movimiento de él.)* ¡Ya, ya sé que no lo es! Pero en el caso de que lo fuese, nada podría arreglarse ya hablando..., y el Centro está por encima de todo.

CARLOS.—Opino lo mismo.

DOÑA PEPITA.—Y todos nuestros actos deben tender a beneficiarle, ¿no es así?

CARLOS.—*(Irónico.)* Así es. Sé lo que piensa; no se canse.

DOÑA PEPITA.—O a beneficiarnos personalmente.

CARLOS.—¿Qué?

DOÑA PEPITA.—El Centro puede tener enemigos... y las personas, rivales de amor. *(Pausa.* CARLOS *se vuelve y avanza cansadamente hacia la derecha. Tropieza en una silla del juego de ajedrez y se deja caer en ella.)* ¿No quiere confiarse a mí?

CARLOS.—*(Tenaz.)* ¡Le repito que es falso lo que piensa!

DOÑA PEPITA.—*(Que se acerca por detrás y apoya sus manos en los hombros de él.)* Bien... Me he engañado. No ha habido ningún crimen; ni siquiera un crimen pasional. Usted no quiere provocar la piedad de nadie. ¿Ni de Juana?

CARLOS.—*(Feroz.)* Juana deberá aprender a evitar ese peligroso sentimiento.

(Pausa. Su mano juguetea con las piezas del tablero.)

Doña Pepita.—Carlos...

Carlos.—Qué.

Doña Pepita.—Le haría tanto bien abandonarse...

Carlos.—*(Levantándose de golpe.)* ¡Basta! ¡No se obstine en conseguir una confesión imposible! ¿Qué pretende? ¿Acreditar su sagacidad? ¿Representar conmigo el papel de madre a falta de hijos propios?

Doña Pepita.—*(Lívida.)* Es usted cruel... No lo seré yo tanto. Porque hace media hora, yo trabajaba aquí, y pudo ocurrírseme levantarme para mirar por el ventanal. No lo hice. Acaso, de hacerlo, habría visto a alguien que subía las escaleras del tobogán cargado con el cuerpo de Ignacio... ¡Ignacio desvanecido, o quizá ya muerto! *(Pausa.)* Luego, desde arriba, se precipita el cuerpo..., sin tener la precaución de pensar en los ojos de los demás. Siempre olvidamos la vista ajena. Sólo Ignacio pensaba en ella. *(Pausa.)* Pero yo no vi nada, porque no me levanté.

(Aguarda, espiando su rostro.)

Carlos.—¡No, no vio nada! Y aunque se hubiese levantado y hubiese creído ver... *(Con infinito desprecio.)* ¿Qué es la vista? ¡No existe aquí la vista! ¿Cómo se atreve a invocar el testimonio de sus ojos? ¡Sus ojos! ¡Bah!

Doña Pepita.—*(Llorosa.)* Hijo mío, no es bueno ser tan duro.

Carlos.—¡Déjeme! ¡Y no intente vencerme con sus repugnantes argucias femeninas!

Doña Pepita.—Olvida que soy casi una vieja...

Carlos.—¡Usted es quien parece haberlo olvidado!

Doña Pepita.—¿Qué dice? *(Llorando.)* ¡Loco, está usted loco!...

Carlos.—*(Desesperado.)* ¡Sí! ¡Márchese!

(Pausa.)

Doña Pepita.—*(Turbada.)* Sí, me voy... Parece que
don Pablo tarda demasiado... *(Inicia la marcha y se detiene.)* Y usted no quiere amistad, ni paz... No quiere
paz ahora. Porque cree haber vencido, y eso le basta.
Pero usted no ha vencido, Carlos; acuérdese de lo que
le digo... Usted no ha vencido.

> *(Engloba en una triste mirada al asesino y a
> su víctima, y sale por el chaflán. Carlos se
> derrumba sobre la silla. Su cabeza pierde la
> rigidez anterior y se dobla sobre el pecho.
> Su respiración es a cada momento más agitada: al fin no puede más y se despechuga,
> despojándose, con un gesto que es mitad de
> ahogo y mitad de indiferencia, de la corbata. Después vuelve la cabeza hacia el fondo,
> como si atendiese a alguna inaudible llamada. Luego se levanta, vacilante. Al hacerlo,
> derriba involuntariamente con la manga las
> fichas del tablero, que ponen con su discordante ruido una nota agria y brutal en el
> momento. Se detiene un segundo, asustado
> por el percance, y palpa con tristeza las
> fichas. Después avanza hacia el cadáver. Ya
> a su lado, en la suprema amargura de su soledad irremediable, cae de rodillas y descubre con un gesto brusco la pálida faz del
> muerto, que toca con la desesperanza de
> quien toca a un dormido que ya no podrá
> despertar. Luego se levanta, como atraído
> por una fuerza extraña, y se acerca tanteando al ventanal. Allí queda inmóvil, frente a
> la luz de las estrellas. Una voz grave, que
> pronto se encandece y vibra de pasión infinita —la suya—, comienza a oírse.)*

CARLOS.—... Y ahora están brillando las estrellas con todo su esplendor, y los videntes gozan de su presencia maravillosa. Esos mundos lejanísimos están ahí, tras los cristales... *(Sus manos, como las alas de un pájaro herido, tiemblan y repiquetean contra la cárcel misteriosa del cristal.)* ¡Al alcance de nuestra vista!..., si la tuviéramos...

TELÓN LENTO

UN SOÑADOR PARA UN PUEBLO

*A la luminosa memoria de
DON ANTONIO MACHADO,
que soñó una España joven.*

Esta obra se estrenó la noche del 18 de diciembre de 1958, en el Teatro Español, de Madrid, con el siguiente

REPARTO

(Por orden de intervención)

CIEGO DE LOS ROMANCES.............	*Miguel Ángel.*
LA CLAUDIA, MAJA...................	*Pilar Bienert.*
DOÑA MARÍA, ALCAHUETA............	*Milagros Leal.*
FERNANDITA........................	*Asunción Sancho.*
BERNARDO, EL CALESERO.............	*Fernando Guillén.*
MORÓN, EMBOZADO......	*Pascual Martín.*
RELAÑO, EMBOZADO.................	*Avelino Cánovas.*
ROQUE, ALGUACIL...................	*José L. Alvar.*
CRISANTO, ALGUACIL................	*Manuel Ceinos.*
MAYORDOMO.......................	*Antonio Albert.*
DON ANTONIO CAMPOS, SECRETARIO PRIVADO.............................	*Miguel Palenzuela.*
DON ZENÓN DE SOMODEVILLA, MARQUÉS DE LA ENSENADA.................	*José Sancho Sterling.*
DON LEOPOLDO DE GREGORIO, MARQUÉS DE ESQUILACHE................	*Carlos Lemos.*
DOÑA PASTORA PATERNÓ, MARQUESA DE ESQUILACHE	*Ana María Noé.*
CESANTE	*José Guijarro.*
EL DUQUE DE VILLASANTA............	*Luis Peña.*
PAISANO...........................	*Francisco A. Gómez.*
EMBOZADO 1.º......................	*Anastasio Campoy.*

ALGUACIL 1.º........................ *José María Ramonet.*
ALGUACIL 2.º........................ *Vicente S. Roca.*
EMBOZADO 2.º....................... *José Luis Sanjuán.*
EMBOZADO 3.º....................... *Francisco Carrasco.*
EL REY............................ *José Bruguera.*
DOÑA EMILIA....................... *Lolita Salazar.*
LACAYO........................... *Antonio Díaz.*

UN FIJADOR DE BANDOS. UN FAROLERO

En Madrid, durante el mes de marzo de 1766.
Reina la majestad de Carlos III.
Derecha e izquierda, las del espectador.
Decorado y figurines: EMILIO BURGOS.
Dirección: JOSÉ TAMAYO.

EL DECORADO

Rincón de Madrid cercano a la Casa de las Siete Chimeneas, donde tiene su morada el marqués de Esquilache. Un alto muro asoma apenas por el lateral izquierdo, dejando paso por el primero y el segundo término. Adosado a él y a buena altura, un farol se proyecta hacia la escena. En el lateral derecho, la estrecha fachada de una casa vieja muestra oblicuamente su chaflán y deja también paso por el primero y el segundo término. Un portillo misérrimo en ella y encima un balcón. En la esquina posterior de esa fachada y también hacia la escena, pero más bajo, otro de los faroles del alumbrado público que el marqués de Esquilache diera a la Villa y Corte.

Algo más atrás, una plataforma giratoria ocupa casi toda la escena y se eleva sobre ella mediante dos o tres peldaños. Está dividida en cuatro frentes: dos principales y dos secundarios. Los dos principales son también los mayores. Sus plantas, exactamente iguales. Opuestos diametralmente, la pared que los separa juega por sus dos caras para los dos decorados. Representan éstos un gabinete del palacio del marqués de Esquilache y otro del Palacio Real. Alargados frontalmente, los dos aposentos están limitados por la pared del fondo que les es común y otras dos laterales más pequeñas, oblicuas, que cortan en un tercio el perímetro de la plataforma.

Una estilizada arquitectura sin techo forma estos dos gabinetes. El de Esquilache tiene en la pared de la izquierda una puerta de una hoja; en la del fondo, hacia la derecha, puerta de dos hojas, y en la pared de la derecha, un ventanal, bajo el que luce una consola con un reloj. El ambiente es suntuoso: los muros están tapizados de damasco rojo y en el fondo, en rico marco dorado, osténtase un retrato de medio cuerpo que del marqués pintara Antonio Rafael Mengs. En el primer término y de frente al proscenio está la mesa taraceada con su sillón detrás. Sobre ella, escribanía, salvadera, campanilla de plata, carpetas y papeles. En su extremo izquierdo descansa la blanca maqueta de un edificio. Dos sillones a ambos lados de la consola y algunas sillas más completan el mobiliario.

Aunque de la misma planta, el gabinete opuesto se distingue del anterior por el color y las formas ornamentales: una armonía de tonos azulados que cortan los dorados brillos de las molduras y las medias cañas. En la pared de la izquierda está el balcón señorial, con poyete y balaustrada exterior; en la del fondo, la puerta de dos hojas —naturalmente, hacia la izquierda, pues juega la misma para los dos aposentos—, y en la de la derecha, puerta de una hoja. Vemos aquí también una mesa, situada frontalmente a la derecha del foro, con su sillón detrás y una silla ante ella, ladeada. A la izquierda del primer término, una mesita y dos sillas. Alguna otra silla al fondo y diversos adornos completan el conjunto que, si bien tan lujoso como el anterior, tiene un aire más digno y más frío, como de habitación de poco uso. Junto a la puerta del fondo, el cordón de la campanilla.

Las cuatro pequeñas paredes laterales de estos dos gabinetes forman por su exterior los dos frentes secundarios del giratorio, asimismo iguales y opuestos entre sí. Cada uno de ellos está formado por dos paredes en ángulo entrante, que fingen la exterior mampostería de un edificio. Uno de estos ángulos, es claro, presenta una puerta en cada pared. Son las que juegan en los gabinetes y que aquí simulan dos puertas iguales a la calle. El ángulo opuesto presenta por su parte el exterior del balcón y el ventanal pertenecientes a los dos aposentos descritos.

En el fondo y entre los resquicios de toda la estructura se columbra un panorama urbano del Madrid dieciochesco. El resto es alto cielo.

PARTE PRIMERA

El «Concierto de Primavera», de Vivaldi, inicia sus risueños compases antes de que el telón se alce.

(Es de día. El giratorio presenta el gabinete de ESQUILACHE *solitario. El* CIEGO DE LOS ROMANCES *se apoya contra la pared de la casa de la derecha. Un casacón astroso y un grasiento sombrero de tres candiles le malcubren. Bufanda, garrote. En los amplios bolsones de la casaca y bajo el brazo, cuadernillos y pliegos de aleluyas de los que exhibe alguno al que quiere pasar. De vez en vez patea el suelo y se sopla las manos: tiene frío. Sentado en los escalones de la plataforma,* MORÓN: *un embozado joven de gacho sombrero redondo y larga capa, prendas ambas bastante sucias. La música se pierde y deja de sonar.)*

CIEGO.—¡El Gran Piscator de Salamanca, con los pronósticos ciertos para este año de gracia de 1766!... *(Otra voz.)* También tengo el romance de la malmaridada y el espantable crimen de los tres portugueses... ¡Compren el Piscator Salmantino y verdadero Zaragozano de este año, por el licenciado don Diego Torres Villarroel!... El Diario... El Diario Noticioso, Curioso y Erudito para hoy, nueve de marzo...

(Enmudece, aburrido. Por la segunda izquierda entró CLAUDIA *y cruza hacia la derecha.*

Es una maja no mal parecida, que viene de
trapillo y trae una cesta y una vela envuelta
en la mano. El balcón se abre y asoma una
VIEJA, *menuda y apajarracada.)*

CLAUDIA.—¡Apúrese, doña María, que no llegamos!
DOÑA MARÍA.—Ya estoy.

> *(Se mete y cierra. La* CLAUDIA *da unos paseí-*
> *tos mientras espera.)*

CIEGO.—Cómprame el romance de la malmaridada,
paloma.
CLAUDIA.—*(Da un respingo.)* ¡La lengua se le pudra
en la boca, abuelo!
CIEGO.—*(Ríe.)* ¿Cuándo te vienes a vivir con la vieja?
Siempre anda ella con esa copla.
CLAUDIA.—Y usté con la oreja en todos lados.
CIEGO.—Es mi manera de conocer... ¿Y tu hombre?
CLAUDIA.—Ricamente.

> (DOÑA MARÍA *aparece en su portal, muy*
> *pulcramente compuesta y se santigua.)*

CIEGO.—Le van a salir muchos años... Te deberías
venir con la vieja.
DOÑA MARÍA.—*(En el tono meloso que prefiere para*
decirlo todo.) No tan vieja, Matusalén...

> *(Toma a la* CLAUDIA *del brazo.)*

CIEGO.—*(Ríe.)* Punto en boca.
DOÑA MARÍA.—Pero razón sí que la tiene, Claudia...
¿Cuándo?...
CLAUDIA.—*(Elude su mirada.)* Ya me lo pensaré.

> *(Caminan unos pasos.)*

Doña María.—*(Sigilosa.)* Esta noche no me faltes, ¿eh? Pero afila el ojo, que está el barrio muy vigilado desde que el marqués vino a vivir aquí. *(Toca la vela.)* ¿Qué es esto?

Claudia.—Una vela para la Virgen de los Desamparados. A la que pasamos, se la pongo.

Doña María.—¿Para que salga tu Pedro?

Claudia.—*(Seca.)* Sí, señora.

Doña María.—*(Ríe.)* Milagros los hay, desde luego, pero... Calla. *(Y mira inquisitivamente, tratando de forzar sus fatigados ojos, a* Fernandita, *que entró por la segunda derecha y cruza. Es una muchacha muy joven, con discretos atavíos de azafata, que lleva una bolsa.)* ¡Vete con Dios, mujer!

Fernandita.—Buenos días nos dé Dios.

> *(Y sale, con la cabeza baja, por la segunda izquierda.)*

Claudia.—¿No es del servicio de la marquesa?

Doña María.—*(Asiente.)* Viene del Mesón de la Luna, de comprar chocolate.

Claudia.—¿Es ésta la que le gusta al calesero?

Doña María.—Y él a ella, pero... dificulto que lleguen a subir juntos a mi casa.

> *(Caminaron mientras hablaban. Van a salir por la primera izquierda cuando entra por ella* Bernardo, El Calesero. *Es un majo de buen porte: blanco sombrero redondo, redecilla, chupetín encarnado y larga capa terciada. Dícenos la historia que era malagueño: tal vez la madrileña prosodia ha cubierto del todo su acento original.)*

Bernardo.—¿A dónde van sus mercedes?

Doña María.—De ti parlábamos, mira. ¿Nos llevas en la calesa a Los Desamparados?

Bernardo.—En cualquier otra ocasión, con mil amores. Pero a estas horas pasa por aquí cierta persona con la que tengo precisión de hablar.

Doña María.—*(Ríe.)* Tarde llegas. *(Mira hacia la segunda izquierda.)* Ahora mismo entra en el palacio.

Bernardo.—¡Maldita sea! *(Se abalanza a la segunda izquierda para mirar, mientras ella ríe.)* ¡Un día le rajo el bandullo de un facazo a esa mula cansina de los diablos!

Claudia.—Qué, ¿nos lleva?

Bernardo.—*(De mal humor.)* ¡Vayan con Dios sus mercedes!

(Las mujeres ríen y salen por la primera izquierda.)

Ciego.—*(Aburrido.)* El Gran Piscator de Salamanca, con todo lo que sucederá en este año de gracia de 1766...

Bernardo.—¡Chuzos de punta debían caer este año!

Morón.—Deja al viejo, Bernardo, que no tiene culpa.

Bernardo.—*(Retrocede instintivamente un paso.)* ¿Quién es? (Morón *levanta el ala de su sombrero.)* ¡Vaya! ¡Mi compadre Morón!

Morón.—Siéntate conmigo.

Bernardo.—¿Para que el frío nos meta el cuerno?

Morón.—¿Y qué vas a hacer? Está ya uno harto de no apañar.

(Se levanta, cansino, y va a su lado.)

Bernardo.—Vete a otro barrio.

Morón.—¡El mío es éste! Y yo no le quito el pan a ningún compañero de industria en el suyo. ¡Tengo mi honrilla!

Bernardo.—Pues te morirás con tu honrilla.

Morón.—*(Se sopla las manos.)* Sí, de frío... ¡Maldito sea Esquilache y quien lo trujo!

BERNARDO.—Amén.

(RELAÑO, *otro pringoso embozado de larga capa y sombrero gacho, entra por la primera izquierda. Es hombre maduro.*)

RELAÑO.—En cuanto que vi la calesa me lo he dicho: mi compadre Bernardo está de ronda.

BERNARDO.—Levante el ala.

RELAÑO.—*(La levanta.)* Soy Relaño. Desde Maravillas vengo huyendo del frío. Hogaño ha venido marzo muy traidor.

MORÓN.—Y que se siente más desde que empedraron.

RELAÑO.—*(Se arrebuja en el embozo.)* Si no fuera por la capa...

BERNARDO.—Pues pida a Dios que la conservemos.

MORÓN.—¿Qué?

BERNARDO.—El rumor corre.

RELAÑO.—Pero ¿cuándo nos van a dejar tranquilos?

MORÓN.—¡Esquilache lo habrá mandado, seguro! ¡Como el empedrado!

RELAÑO.—¡Como todo lo malo!

MORÓN.—¡En su tierra se podía haber quedado, que para mí, que no será tierra de cristianos!

RELAÑO.—¡Paganos serán!

BERNARDO.—*(Les pasa las manos por los hombros y baja la voz.)* Si se confirma, no faltarán esta vez buenos españoles que nos digan lo que hay que hacer.

RELAÑO.—¡Tú sabes algo!

BERNARDO.—A su tiempo, que ahora es pronto.

MORÓN.—*(Se separa, contrariado.)* ¡Bueno!

BERNARDO.—*(Ríe.)* Vengan acá, que algo les diré a cambio... Hay letrilla nueva.

MORÓN.—*(Vuelve.)* ¿De Esquilache?

BERNARDO.—Escuchen sus mercedes:

«Yo, el gran Leopoldo Primero,
marqués de Esquilache augusto,

rijo la España a mi gusto
y mando a Carlos Tercero.»

RELAÑO.—*(Ríe.)* ¡Está propia!
BERNARDO.—Es más larga, pero no recuerdo el final.
CIEGO.—*(Que no se ha movido.)*

«Hago en los dos lo que quiero,
nada consulto ni informo,
al que es bueno le reformo
y a los pueblos aniquilo.
Y el buen Carlos, mi pupilo,
dice a todo: me conformo.»

*(Se han ido acercando los embozados, entre
risas contenidas que subrayan la letrilla.)*

MORÓN.—¡La verdad misma!
CIEGO.—Si sus mercedes la quieren, se la llevan por
un real.
BERNARDO.—¡Tráela!

(El CIEGO mete su mano en un bolsillo.)

RELAÑO.—*(Que mira hacia la izquierda.)* ¡Chist!
Guarda.

*(Por la segunda izquierda entran CRISANTO
y ROQUE, alguaciles. Tricornio, golilla, espadín, corta capa negra. Al divisar el grupo, se
detienen. La luz crece en el gabinete de
ESQUILACHE. Por la puerta de la izquierda
entra DON ANTONIO CAMPOS con una carpeta
en la mano y, de pie, ordena papeles sobre
la mesa.)*

BERNARDO.—*(Disimulando.)* Vamos, amigos. Les llevo en la calesa.

(Cruzan y salen por la primera izquierda. Los alguaciles los ven salir y miran al CIEGO; *el* CIEGO *parece notarlo y rodea pausadamente la casa para salir por la primera derecha, mientras pregona.)*

CIEGO.—El Diario Noticioso, Curioso y Erudito para hoy, nueve de marzo...

(Los alguaciles siguen hacia la segunda derecha. CRISANTO, *que es el más viejo, se detiene de pronto.)*

ROQUE.—¿Vamos?
CRISANTO.—Espera.

(Entra por la segunda derecha un CABALLERO *entrado en años, embozado en su capa. Tricornio galoneado, peluca antigua, espadín, medias de seda. Al cruzar,* CRISANTO *le cede el paso, se descubre y se inclina. El* CABALLERO *se detiene un segundo, desconcertado; saluda levemente y sale por la segunda izquierda.)*

ROQUE.—¿Quién es?
CRISANTO.—*(Mira al hombre que se aleja.)* ¿Cómo no irá en su coche? ¡Mira! Entra en el palacio del señor marqués. Decían que estaban reñidos... Vámonos, Roque. Me da en la nariz que no quiere ser visto.

(Da unos pasos.)

ROQUE.—Pero ¿quién es, Crisanto?

CRISANTO.—*(Baja la voz.)* Dí mejor quién fue... Es el señor marqués de la Ensenada. Vamos.

> *(Salen por la segunda derecha. La luz del primer término se amortigua un tanto. La puerta del fondo del gabinete se abre y entra el* MAYORDOMO.*)*

MAYORDOMO.—Su excelencia el señor marqués de la Ensenada.

> *(Entra* ENSENADA. *El* MAYORDOMO *sale.* DON ANTONIO CAMPOS *deja precipitadamente sus papeles para recibir al visitante. Este* DON ANTONIO, *secretario privado de* ESQUILACHE, *es un mozo de obsequiosa sonrisa y vivos ojos, que viste de oscuro.* DON ZENÓN DE SOMODEVILLA, *marqués de la Ensenada, entra sin capa ni sombrero. Algo entrado en carnes, todavía se muestra erguido. Cuenta ya sesenta y cuatro años, pero su cara no ha perdido frescura: conserva aquella adolescente blandura de rasgos y aquella mirada, aguda y suave a la vez, que vemos en sus retratos. Es hombre de aire bondadoso, de irresistible simpatía física. Acaso por nostalgia de su pasado valimiento, usa todavía peluca de los tiempos de Fernando VI. Viste lujosa casaca bordada.)*

CAMPOS—*(Se inclina profundamente.)* Beso a vuecelencia las manos.

ENSENADA.—*(Leve inclinación.)* Bien hallado, mi señor don Antonio.

CAMPOS.—El señor ministro no ha vuelto aún de El Pardo, pero no puede tardar. Dígnese vuecelencia tomar asiento.

> *(Le ofrece un sillón junto a la consola.)*

ENSENADA.—Gracias. Hágame la merced de seguir en su trabajo, don Antonio.

(Se sienta.)

CAMPOS.—*(Sonríe.)* Mi trabajo en este momento es servir a vuecelencia en cuanto se le ofrezca.

ENSENADA.—Se lo ruego.

CAMPOS—Siendo así... Y por complacer a vuecelencia. *(Va a la mesa y permanece de pie, ordenando las carpetas.)* En realidad, ya había terminado... Sólo quedaba esta carpeta, que es la de las curiosidades... *(Mete en ella un memorial y la cierra.)* Y ya está lista. *(Escucha.)* Me parece que oigo la carroza del señor ministro...

ENSENADA.—¿Por qué llama a esa carpeta la de las curiosidades?

CAMPOS.—Porque es la de... los proyectistas. El señor marqués lo estudia todo: dice que los aciertos se encuentran donde menos se piensa.

ENSENADA.—Y es muy cierto.

CAMPOS.—Hoy nos ha llegado un proyecto para erigir en Andalucía una ciudad exagonal: según el autor, una especie de cuartel para la reforma de criminales mediante las virtudes calmantes de la geometría.

ENSENADA.—Ése es un loco.

CAMPOS.—Pero ilustrado.

ENSENADA.—Sabe el son que se baila ahora.

(Ríen los dos.)

CAMPOS.—Es fabulosa la cantidad de locos que da este país...

ENSENADA.—No. Es normal. El español es desequilibrado. En mi tiempo lo aprendí bien. También me llegaban montones de cosas como ésa... *(Se encoge de hombros.)* ¿Qué se puede hacer con un pueblo así?

Campos.—Nadie puede olvidar lo mucho bueno que
con este pueblo supo hacer vuecelencia.

Ensenada.—Se equivoca, don Antonio. Está ya olvidado. Nuestro país olvida siempre los favores: sólo recuerda los odios...

*(Se abre la puerta del fondo y entra, termi-
nando de despojarse de la capa, Esquilache.
Tras él, el Mayordomo con el tricornio en la
mano. Don Leopoldo de Gregorio es un ro-
busto anciano de sesenta y seis años. De
bruscos ademanes, vivo y dinámico, se conserva esbelto. El amargo rictus de su cara
denuncia, más que vejez, ocultas tristezas;
y difícilmente calcularíamos su edad si no
fuese porque tiene las cejas completamente
blancas. Su vestido es rico, pero sobrio: en
el cuello le brilla el toisón de oro. Campos
se inclina con respeto y Ensenada se levanta
y le dedica una cortés reverencia. Esquilache tiende a Campos una cartera que trae y
que éste deja sobre la mesa.)*

Esquilache.—Celebro verte, Zenón. Supongo que no
te habré hecho esperar.

Ensenada.—Has sido puntual, como siempre.

(El Mayordomo recoge la capa.)

Esquilache.—¿Mucha gente en la antecámara?
Mayordomo.—Seis personas, excelencia.
Esquilache.—¿Don Francisco Sabatini entre ellas?
Mayordomo.—No, excelencia.
Esquilache.—¿Te apetece un chocolate, Zenón?
Ensenada.—Gracias. Lo tomé ya.
Esquilache.—A mí, sí. El viaje me ha despertado el
apetito. *(Al Mayordomo.)* Avise en la cocina que me lo

traigan. ¡*Súbito*! (*Lo despide con un gesto. El* MAYOR-
DOMO *se inclina y sale, cerrando.*) Campos, ¿quiere dejarnos solos?

ENSENADA.—De ningún modo. Despacha antes tus
asuntos. Yo estoy acostumbrado a esperar...

ESQUILACHE.—(*Le lanza una rápida ojeada.*) Como
prefieras. ¡Pero toma asiento, hombre!

ENSENADA.—(*Se sienta.*) Gracias.

ESQUILACHE.—(*Va a la mesa.*) La firma. (*Se sienta.*
CAMPOS *abre una carpeta, moja la pluma y se la ofrece.*
Después va recogiendo los documentos y rociándolos con
la salvadera a medida que ESQUILACHE *los firma.*) ¿Has
visto la maqueta? Este Sabatini es admirable. El secreto
del buen Gobierno son los buenos colaboradores. Pero
no siempre se encuentran y hay que hacerlos... El mes
pasado he concedido quince becas más. Jóvenes estudiantes de matemáticas, de botánica... Si Dios nos ayuda, a la vuelta de unos años el país tendrá gente apta
para todo. ¡*Sicuro*!... (*A* CAMPOS.) ¿Qué es esto?

CAMPOS.—La aprobación de los créditos para la construcción de una fragata.

(ENSENADA *se sobresalta: es su antigua tarea.*)

ESQUILACHE.—Yo dije dos.

CAMPOS.—El Consejo de Hacienda ha recomendado
retrasar la construcción de la segunda, excelencia.

ESQUILACHE.—¡El ministro de Hacienda soy yo, y
también el de Guerra! Los dos despachos están de
acuerdo y esos señores no me van a enseñar a mí a
hacer números. Nuestra estúpida guerra con Inglaterra
nos ha costado barcos y hay que reponerlos. (*Ríe.*) Y si
no, que se lo pregunten a Ensenada, por quien España
tiene hoy una flota.

ENSENADA.—Tu memoria me honra.

ESQUILACHE.—(*Aparta el documento.*) Firmaré cuan-

do vengan los dos créditos: si firmo éste me duermen
el segundo. *(Termina de firmar.) Va bene.*

(Deja la pluma.)

Campos.—Dentro de una hora le esperan en el Consejo de Castilla, excelencia.

Esquilache.—Bien. Déjenos ahora. Pero no se me
aleje mucho: hay que dar curso a una Real Orden. *(Se
levanta y se acerca a la maqueta mientras* Campos *se inclina y sale por el foro con la carpeta de la firma.)* Mira
qué hermosura, Zenón. (Ensenada *se levanta y se acerca.) Molto bello,* ¿eh? Es un depósito de aguas. Sabatini
es ingeniero y lo ha calculado admirablemente, pero,
además, tiene buen gusto.

Ensenada.—¿Quién dijo aquello del fango y el
mármol?

Esquilache.—¿Cómo dices?

Ensenada.—La frase corre: el rey Carlos se encontró
un Madrid de fango y lo ha dejado de mármol.

Esquilache.—*(Ríe.)* Pero los descontentos lo comen-
tan de otro modo: dicen que el rey tiene mal de piedra.

Ensenada.—Tú eres el mal de piedra del rey..., gracias a Dios.

Esquilache.—¿Quieres adularme? Tú fuiste quien lo
empezó todo.

Ensenada.—*(Se aparta un poco, entristecido.)* Por
favor, déjate de cumplidos. Yo he venido a saber algo
concreto: no prolongues la humillación de sentirme
como un pobre solicitante más de tu antecámara. Hemos
estado distanciados pero ahora somos amigos otra vez,
¿no es así? Habla claro.

(Esquilache *baja los ojos. Se empieza a oír
fuera de escena el pregón del* Ciego, *que
aparece inmediatamente por la primera derecha.)*

CIEGO.—El Gran Piscator Salmantino...

(Se detiene en el centro de la escena.)

ESQUILACHE.—¿Lo oyes?
ENSENADA.—¿El qué?
CIEGO.—*(Reanuda su marcha.)* ... con todo lo que sucederá en este año de gracia de 1766...

(Sale, lento, por la segunda izquierda.)

ESQUILACHE.—*(Pensativo.)* ¿Has ojeado el Piscator de Salamanca? Ese calendario que escribe Torres Villarroel.
ENSENADA.—*(Suspira.)* ¡Por Dios santo, Leopoldo! Basta de disimulos.
ESQUILACHE.—*(Débil.)* No era disimulo... Es que, a veces, me preocupan cosas muy pequeñas... Soy un aprensivo. *(Se pasa la mano por la frente.)* Por cierto, que algo se me ha olvidado... Era algo pendiente con el mayordomo...
ENSENADA.—*(Frío.)* ¿Qué te ha dicho el rey?
ESQUILACHE.—*(Lo mira.)* Siéntate. *(Con un suspiro de impaciencia, ENSENADA vuelve a sentarse. ESQUILACHE pasea, irresoluto.)* Le he hablado a tu favor una vez más... y no ha dicho nada.
ENSENADA.—¿Cómo, nada?
ESQUILACHE.—Sabes lo impenetrable que es a veces... Cuando oye tu nombre nunca dice nada. Yo le he recordado tus grandes méritos; le he dicho que eres de los hombres que el país necesita hoy... En fin, todo. Que si perdiste el favor de su augusto hermano fue porque te negaste a la desmembración de Galicia en beneficio de Portugal; porque le avisaste a él mismo de éste y otros peligros antes de que ciñeses la corona... *(Se detiene y lo mira.)* Preveo que te irás de aquí con la duda mordiéndote: ¿Le habrá hablado así al rey este italiano as-

tuto? *(Lo mira fijamente.) Ecco.* Claro que lo piensas.
¿Qué puedo decirte? Te juro que he pedido al rey tu
incorporación al Gobierno. Pero él ha callado. Como si
no escuchase...

(ENSENADA *baja la cabeza. Una pausa.*)

ENSENADA.—¿En qué crees que puedo haberle disgustado?

ESQUILACHE.—¿*Chi lo sá?*

ENSENADA.—Pero algo supones.

ESQUILACHE.—Lo visitabas demasiado al volver del
destierro... Tal vez supuso que te creías indispensable...
Un par de veces que te pidió consejo estuviste reservado
y acaso creyó que así procurabas tu vuelta al Poder...
En fin, no sé. Él nada ha dicho. *(Pausa. Sonríe y va a
la mesa para abrir la cartera que trajo, de la que saca
un par de documentos.)* En cambio, he conseguido otra
cosa que tú mismo me sugeriste. *(Toma uno de los dos
papeles y se acerca.)* Mira.

ENSENADA.—*(Sin levantar la cabeza, con una resignada
sonrisa.)* Capas y sombreros.

ESQUILACHE.—¡*Ecco!* El bando que descubrirá las
caras; el bando que evitará tanto crimen y tanta impunidad. Un buen tanto en la partida emprendida, ¿eh?
Un poco más de higiene en los cuerpos y en las almas.
Los madrileños parecerán al fin seres humanos, en lugar
de fantasmones. *(Se sienta en el otro sillón. Confidencial:)* El Consejo de Castilla lo ha pretendido suavizar,
retrasar... Alega que no es prudente violentar una costumbre, aunque sea mala. ¡Pero se ha intentado muchas
veces, y ya es hora de demostrar a estos tercos que no
sólo se exhorta, sino que se manda! ¿No crees? *(Un silencio.)* Perdona. Comprendo que el momento no es
bueno para que te alegres de nada.

(Se levanta y devuelve el papel a la mesa.)

ENSENADA.—Perdona tú. Has hecho perfectamente:
esa medida se echaba de menos desde hace años, y ya
es hora de aplicarla con mano dura.

(Se levanta y se acerca.)

ESQUILACHE.—Pero si no se trata de mano dura...
ENSENADA.—No se puede reformar de otro modo. Recuerda nuestra divisa: «Todo para el pueblo, pero sin
el pueblo.» El pueblo siempre es menor de edad.
ESQUILACHE.—*(Lo mira con curiosidad.)* No me parece que les des su verdadero sentido a esas palabras...
«Sin el pueblo», pero no porque sea siempre menor de
edad, sino porque todavía es menor de edad.
ENSENADA.—*(Sonríe.)* No irás lejos con esas ilusiones.
Yo las perdí hace veinte años. ¿Es que han dado nunca
la menor muestra de comprender? ¿Te agradecen siquiera lo que haces por ellos? Les has engrandecido el país,
les has dado instrucción, montepíos, les has quitado el
hambre. Les has enseñado, en suma, que la vida puede
ser dulce... Pues bien: te odian.
ESQUILACHE.—*(Turbado.)* No.
ENSENADA.—*(Paternal.)* ¿Aún no quieres reconocerlo?
(Sonríe y lleva su mano a la manga de la casaca.) No de-
bería enseñártelo... Podrías creer que es despecho por
el mal resultado de tu gestión...
ESQUILACHE.—¿Otro libelo? Dámelo: no se puede go-
bernar sin saber lo que se dice en la calle. El pobre
Grimaldi enferma cada vez que le llega un rumor adverso
al despacho de Estado: ha prohibido que se lo digan.
Pero yo no cierro los ojos. Trae. *(Le toma un papel que
ENSENADA saca de su manga. Lee.)* «Yo, el gran Leopoldo Primero...»

*(Se le nubla la frente a medida que lee. Ter-
mina y se queda pensativo.)*

ENSENADA.—No creí que te afectase tanto.

ESQUILACHE.—Soporto aún mal que se me aborrezca sin razón.

ENSENADA.—Ya ves que yo estaba en lo cierto.

ESQUILACHE.—*(Reacciona.)* No. Este papel no demuestra nada: está impreso. No viene del pueblo, sino de nuestros enemigos: de todas las antiguallas que nos odian porque ocupamos puestos que ellos ya no se merecen.

ENSENADA.—Pero es el pueblo quien lo propala...

ESQUILACHE.—*(Tenaz.)* Unos pocos descontentos.

ENSENADA.—*(Suspira.)* Te dejo con tus ilusiones, Esquilache.

(Da unos pasos hacia el foro.)

ESQUILACHE.—Te acompaño. *(Va a la puerta y la abre. Ríe.)* Y te prometo insistir con su majestad. Me haces falta en la tarea de educar al pueblo, aunque seas un escéptico...

(Sale tras él y se pierde su voz. Golpecitos en la puerta de la izquierda, que se repiten. La puerta se abre y entra la MARQUESA DE ESQUILACHE. DOÑA PASTORA PATERNÓ *es una catalana arrogante, veinte años más joven, por lo menos, que su marido. Viene en traje de paseo. Al no ver a nadie, curiosea. Comenta con una sonrisa la maqueta de Sabatini; luego repara en la letrilla impresa, la toma y lee con expresión burlona y desdeñosa, volviéndola a dejar sobre la mesa.* ESQUILACHE *vuelve y cierra la puerta. Se miran.)*

ESQUILACHE.—¿Qué quieres?

DOÑA PASTORA.—¡Huy, qué humos! Mal se levantó el día. ¿Te ha dado hoy el dolor?

ESQUILACHE.—No.

DOÑA PASTORA.—Venía sólo a decirte que almuerzo fuera.

ESQUILACHE.—*(Sardónico.)* ¡Qué novedad! Para el banquete de esta noche podré contar contigo, ¿no? Tenemos veinte invitados.

DOÑA PASTORA.—*(Seca.)* Sabes que nunca falto a mis deberes de anfitriona.

ESQUILACHE.—A esos no, *è chiaro.* Esos te gustan. ¿Puede saberse dónde almuerzas?

DOÑA PASTORA.—Naturalmente...

ESQUILACHE.—Déjame adivinarlo... ¿En la Legación de Holanda? *(DOÑA PASTORA lo mira con desdén y se aparta.)* Mis más expresivos recuerdos a monsieur Doublet.

DOÑA PASTORA.—Dios te guarde.

(Va a salir por el foro. Él se interpone.)

ESQUILACHE.—Un momento aún... *(Va hacia la mesa, caviloso.)* Pero ¿qué es lo que se me está olvidando desde hace una hora? *(Palmea en la frente.)* ¡Ecco! *(Ríe y agita dos veces la campanilla.)* Sólo un minuto, *prego.* No te entretengo nada. *(Entra el* MAYORDOMO.) ¿Y mi chocolate?

MAYORDOMO.—Ruego a su excelencia que me perdone. Me informaré en seguida de la causa de esta demora.

ESQUILACHE.—*(Se sienta a la mesa.)* Bene.

(El MAYORDOMO *sale y cierra.)*

DOÑA PASTORA.—Me permito recordarte que tengo prisa.

ESQUILACHE.—*(La mira fijamente.)* Ayer hablé con el rey... de nuestros hijos.

DOÑA PASTORA.—*(Alegre.)* ¿Nuevas mercedes?

ESQUILACHE.—*(Después de un momento.)* Cuando

nombré al primero coronel y al segundo director de la
Aduana de Cádiz, eran casi unos niños. El tercero es
ya hoy arcediano. Todo se lo pedí al rey porque tú me
insististe; pero no sólo por complacerte, sino porque
quería que se convirtiesen en buenos servidores de su
país. Incurrí en esa costumbre, en esa mala costumbre
de los poderosos, porque eran carne de mi carne y
quería darles una buena ventaja inicial... que no han
aprovechado.

Doña Pastora.—¿Y qué más da?

Esquilache.—¿Qué más da? Unos petimetres; unos
zascandiles de tertulias es lo que han resultado. Ni
siquiera puedo decir que los tenga: nunca los veo.

Doña Pastora.—Están fuera de Madrid...

Esquilache.—Cuando están en Madrid tampoco
los veo.

Doña Pastora.—Porque siempre estás demasiado
ocupado.

Esquilache.—Catorce horas de trabajo al día me
parecen pocas para compensar la gandulería de esos
inútiles. Por eso hace años que me he dicho: ¡No! Nunca
volveré a pedirle al rey nada para ellos.

Doña Pastora.—(Sonríe.) Por fortuna el rey es menos
escrupuloso que tú y nombró después al mayor mariscal
de campo.

Esquilache.—(Sombrío.) Sí. Y tuve que aceptarlo...
de mala gana. ¿Quién era yo para discutir la voluntad
real?

Doña Pastora.—Claro.

Esquilache.—Claro. Además, que entonces no sabía
que eras tú quien se lo había rogado.

Doña Pastora.—(Inquieta.) ¿Yo?

Esquilache.—(Se levanta, iracundo.) ¡Ese botarate
es mariscal de campo porque tú se lo pediste a mis
espaldas!

    (Va hacia ella.)

Doña Pastora.—¿Qué dices?

ESQUILACHE.—¡Le contaste la repugnante mentira de que era mi mayor deseo y de que yo no me atrevía a pedírselo! Qué jugada, ¿eh? Sabes lo reservado que es. Supusiste que no me preguntaría nada y acertaste. Que su majestad pudiese despreciarme un poco desde entonces, eso no te importaba. ¡Sólo pensaste en atesorar para ti y para los tuyos, como siempre!... Ayer, por casualidad, se ha aclarado todo... y su majestad me ha dicho: «Me alegro de poder estimarte lo mismo que antes.» *(Pausa.)* De ti no ha dicho nada. Pero puedes suponer lo que pensará de la marquesa de Esquilache, que miente a su rey.

DOÑA PASTORA.—*(Se levanta.)* Pensará que es una madre que vela por sus hijos.

ESQUILACHE.—¿No crees que todos tenemos ya más que bastante?

DOÑA PASTORA.—¡No! ¡No lo creo! Pero ¿de qué te asombras? No sólo he conseguido cosas del rey, sino de tus compañeros de Gabinete. Y de tus subordinados. ¡De sobra lo sabes! ¿O es que tú, tan sagaz para otras cosas, vas a haber estado ciego como un topo para los pasos de tu mujer?

ESQUILACHE.—*(Amargo.)* Más de lo que pensaba.

(Cruza.)

DOÑA PASTORA.—Pues debiste suponerlo. *(Ríe.)* ¿Crees que a nadie le gusta contrariar a la marquesa de Esquilache? ¡Cualquiera sabe si lo que pide es algo que su esposo desea!... De modo que todos resultan muy complacientes. Y también protejo a mucha gente... que sabe agradecérmelo. Podría contarte algunos asuntitos que te demostrarían lo buena discípula que es tu esposa; si tú sabes sacarle dinero al país para el rey, yo no me quedo atrás. Pero, más modesta, lo saco para nuestra casa.

ESQUILACHE.—*(Frío.)* ¿Qué asuntos son ésos?

DOÑA PASTORA.—Ya he hablado demasiado. Le temo

a tu quijotismo. Por lo demás, no presumas tanto de idealista. Lo que pasa es que tienes miedo.

Esquilache.—¿Miedo?

Doña Pastora.—(*Levanta el papel de la letrilla.*) Sí, tú: «El gran Leopoldo Primero.» Temes, como todos, perder el favor real. Y temes a los nobles, y a la Iglesia, y al pueblo. O si no, ¿a qué vienen esos banquetes, esas dádivas y esos favores que prodigas y en los que gastas miles de peluconas, tú, el austero? Pues al temor de que te derroten en la batalla de la vida. ¡No somos tan distintos!

(*Deja el papel sobre la mesa.*)

Esquilache.—Esto no va a quedar así, Pastora. (*Se acerca.*) Vete ahora con monsieur Doublet. Lo que entre tú y él haya, no quiero saberlo...

Doña Pastora.—¡No disparates! Es el cortejo. El chichisbeo, como ahora se dice. Todas las damas lo tienen.

Esquilache.—No quiero saber lo que es. Hace tiempo que te perdí: tú aún eres joven y yo ya no lo soy. Desisto de recobrarte. Desisto incluso de que comprendas. Pero te ordeno...

Doña Pastora.—¿Me ordenas?

Esquilache.—Te... ruego que te abstengas de minarme el terreno con tus politiquerías. ¡En eso no te metas! De lo contrario...

Doña Pastora.—(*Seca.*) ¿Qué?

Esquilache.—(*Vuelve la cabeza.*) Nada. Puedes retirarte.

(*Una pausa.*)

Doña Pastora.—(*Perpleja, se acerca.*) ¿Cómo? ¿Los ojos húmedos?

Esquilache.—Hazme la caridad de retirarte.

Doña Pastora.—(*Se encoge de hombros.*) Siempre serás un niño... Pero tú también tienes que comprender... Ya no estamos en nuestros primeros años, cuando

nos casamos en tu primera visita a España. Si todo se
estropea, ¿qué le vas a hacer?... Entonces me recitabas
versos del Dante... Contigo comienza la vida nueva, me
decías... Pues bien, nunca hay vida nueva, los versos se
olvidan, y tú los habrás olvidado también. Pero no hay
que hacer de eso una tragedia, sino tomar lo que la vida
pueda darnos aún... Aunque no sea más que dinero...
o poder. *(Golpecitos en el foro.* DOÑA PASTORA *se vuelve.
Su marido no se mueve. Después de mirar a su marido.)*
¡Adelante!

        (Entra el MAYORDOMO.*)*

MAYORDOMO.—Rogamos mil perdones a su excelencia... El repostero de su excelencia se ha puesto repentinamente muy enfermo y ésa ha sido la causa del
retraso... La chocolatera de la señora marquesa lo ha
preparado en su lugar y aguarda fuera. Si su excelencia
desea que le sirva yo mismo...

ESQUILACHE.—Que pase ella. *(El* MAYORDOMO *va a
salir.)* Espere... Lleve esa maqueta al despacho grande.

        (El MAYORDOMO *la recoge, saluda y sale.*
        FERNANDITA *entra muy intimidada con el
        servicio del chocolate y hace una genufle-
        xión.)*

DOÑA PASTORA.—*(Después de mirar a su esposo, que
está abstraído.)* Ponlo allí, hija mía. *(Por la consola.*
FERNANDITA *lo hace.)* Te dejo, Leopoldo. Dios te guarde.
ESQUILACHE.—Vete con Dios.

        *(*DOÑA PASTORA *se encamina al foro.)*

DOÑA PASTORA.—Trátamelo bien, Fernandita... El señor marqués está ya muy delicado.

        *(Envía una burlona mirada a su marido y
        sale mientras* FERNANDITA *se inclina de nue-*

vo. La puerta se cierra. ESQUILACHE *está triste, turbado. Al fin se vuelve y ella, nerviosa, vuelve a inclinarse.)*

ESQUILACHE.—¿De modo que te llamas Fernandita?
FERNANDITA.—Para servir a su excelencia. *(Pensativo,* ESQUILACHE *va hacia la mesa.)* Si su excelencia quiere que le llene una jícara... Está muy calentito. *(Abstraído, él no contesta. Ha tomado la Real Orden de capas y sombreros y la ojea. Ella carraspea y eleva la voz.)* ¡Está muy calentito!
ESQUILACHE.—¿Eh?... Sí. Sírvemelo aquí mismo.

(Sorprendida, ella se apresura a extender una servilleta sobre la mesa. Él se sienta, cansado. Se oprime los ojos con los dedos. Ella vuelve rápida a la consola y llena una taza.)

FERNANDITA.—Me informé en la cocina y le he traído a su excelencia los bizcochos que prefiere... *(Le lleva la taza. Saca fuerzas de flaqueza.)* Me informé en la cocina y le he traído... (ESQUILACHE *se vence sobre la mesa con un gesto de dolor y gime sordamente.)* Señor marqués, ¿qué le pasa?... ¡Señor marqués!... *(Para sí.)* Yo llamo.

(Va a tomar la campanilla, pero ESQUILACHE *extiende su brazo y se lo impide.)*

ESQUILACHE.—No, no... Es un dolor que a veces me toma el costado... Ya pasará.
FERNANDITA.—¿Quiere que baje en un vuelo? Yo sé buenos remedios... Puedo prepararle ruibarbo, o cristal tártaro... ¿Es el estómago?
ESQUILACHE.—Ya... se pasa...
FERNANDITA.—Para mí que no es el estómago... Es

que su excelencia tiene demasiadas preocupaciones y le
duelen los nervios. ¡Entonces, láudano!

(Y corre hacia la puerta.)

ESQUILACHE.—*(Ya casi repuesto.)* ¡Quieta, criatura!
(Lleva su mano a la taza.) Esto me caerá mejor. *(Sonríe.)*
Pero sin mojar... Sólo una tacita. *(Bebe un sorbo.)* ¿Sa-
bes que eres muy inteligente?

FERNANDITA.—¡Qué va, excelencia!

ESQUILACHE.—*(Complacido por su naturalidad, ríe.)*
¡Sicuro! Los médicos se han empeñado en que vigile
mis digestiones, pero saben menos que tú.

FERNANDITA.—Ruego a su excelencia que me perdone.

ESQUILACHE.—Al contrario, hija. Sé siempre natural.
Yo tengo fama de tener malos modales, pero es que me
harta la etiqueta...*(Bebe.)* ¿Qué le pasa a mi repostero?

FERNANDITA.—Que es un tragón y tiene un empacho
de las comilonas que se atiza... ¡Ya le he dado yo una
purga!

ESQUILACHE.—Tu chocolate es más suave...

FERNANDITA.—*(Sonríe.)* Es que yo tengo mi receta.
¿Le sirvo otra jícara?

ESQUILACHE.—No, gracias. *(El* CIEGO *de los romances
aparece por la segunda derecha y va a recostarse contra
su esquina habitual.* ESQUILACHE *está mirando a la muchacha con suma curiosidad. Ella retira taza y servilleta
y las lleva a la consola.)* ¿Qué piensas?

FERNANDITA.—*(Lo mira, sorprendida.)* Nada, excelencia.

ESQUILACHE.—*(Ríe.)* ¡Eso no es posible! Dime qué
pensabas. Pero con sinceridad, ¿eh?

FERNANDITA.—Pues... que el señor marqués debiera
estar alegre y orgulloso de tantas cosas buenas que nos
ha dado a los madrileños.

(La fisonomía de ESQUILACHE *se endurece
instantáneamente.)*

ESQUILACHE.—¡Hola! ¿También dominas la lisonja cortesana?

FERNANDITA.—*(Humilde, pero ofendida.)* No era lisonja, excelencia.

(Él se levanta y se recuesta en la mesa.)

ESQUILACHE.—*(La observa, receloso.)* ¿Y qué cosas buenas son ésas, según tú?

FERNANDITA.—¡Ah, pues muchísimas! Madrid es otra cosa desde hace seis años. ¡Antes era una basura!... Y un poblachón. Apestaba... Y a mí me gusta la limpieza.

ESQUILACHE.—*(Sonríe.)* No lo digas muy alto... No está de moda. ¿Eres madrileña?

FERNANDITA.—Sí, excelencia. Pero aunque fuese toledana. Toledana era mi madre.

ESQUILACHE.—¿Era?

FERNANDITA.—Murió de aquellas fiebres que se llevaron a tanta gente en Madrid. Decían que si los aires... Pero aquello lo trajo la suciedad, seguro. Desde que su excelencia mandó limpiar, está la gente mucho más sana y con mejores colores. Antes estaban... ¡verdes!

ESQUILACHE.—Y tu padre, ¿vive?

FERNANDITA.—*(Baja la cabeza.)* Había muerto ya... Lo mató un embozado.

ESQUILACHE.—¿Qué?

FERNANDITA.—Nadie supo quién era, pero yo sí. Era muy pequeñita, pero ya me daba cuenta de todo... Lo mató él, seguro.

ESQUILACHE.—¿Quién es él?

FERNANDITA.—Era... También se lo llevó Pateta cuando la peste, y muy bien llevado. Era un chispero que perseguía a mi madre. A mí me recogió mi madrina, que es bordadora, y que me recomendó a la señora marquesa.

ESQUILACHE.—*(Frío, la considera.)* ¿Has oído tú algo de un bando que voy a lanzar?

FERNANDITA.—No, excelencia.

ESQUILACHE.—Pues se comenta.

FERNANDITA.—Abajo tampoco he oído nada. Julián me lo habría dicho.

ESQUILACHE.—¿Tu novio?

FERNANDITA.—*(Sonríe.)* Es el mozo de mulas del señor marqués. Me corteja, pero yo no le quiero.

ESQUILACHE.—¿Porque quieres a otro?

FERNANDITA.—*(Desvía la vista.)* No, excelencia. Yo no quiero a nadie. *(Por la primera izquierda entra* BERNARDO, *embozado. Da unos pasos y se detiene, mirando hacia la invisible entrada del palacio, como en espera. Ella se exalta.)* ¡Y menos, a uno de esos majos de malas entrañas!

ESQUILACHE.—*(Irónico.)* ¿Para quién te reservas entonces?

FERNANDITA.—*(Deja de mirarlo.)* No sé.

ESQUILACHE.—*(Después de un momento, con frialdad.)* Eres una niña encantadora. Me recuerdas a otra niña encantadora que conocí hace veinte años... Me pregunto si serás como ella.

FERNANDITA.—¿Cómo era?

ESQUILACHE.—*(Sonríe con melancolía y soslaya la pregunta.)* Yo le recitaba versos de un gran poeta de mi país... Versos que no he olvidado. ¿Sabes italiano?

FERNANDITA.—*(Sonríe.)* ¿Yo, excelencia?

CIEGO.—*(Aburrido.)* El Gran Piscator de Salamanca, con los pronósticos de todo el año...

> (ESQUILACHE *levanta la cabeza. Ha oído.* BERNARDO *mira un momento al* CIEGO *y vuelve a su postura.)*

ESQUILACHE.—¿Sabes siquiera lo misterioso que es el ser humano? A lo mejor, cuando ya le vence la edad y está lleno de temores, recuerda esas futesas de su juventud, y se ríe de sí mismo, porque comprueba que... no

es más que un niño envejecido... Un niño que todavía
quisiera confiar en los demás... ¿Sabes tú de esas cosas?
¿Qué sabes tú? ¿Qué buscas tú?

FERNANDITA.—*(Herida, sin saber bien por qué.)* ¿Yo,
excelencia...?

ESQUILACHE.—Calla. Y escucha:

«Mostrasi si piacente a chi la mira,
che da per gli occhi una dolcezza al core,
che 'ntender non la puó chi non la prova.
  E par che della sua labbia si mova
un spirito soave pien d'amore,
che va dicendo all'anima: sospira.»

(Un silencio. FERNANDITA baja la vista.)

FERNANDITA.—No los entiendo bien, pero... con-
mueven...

ESQUILACHE.—*(Brusco.)* Son ridículos. *(Deja de mi-
rarla y agita dos veces la campanilla. Dice, muy seco:)*
Gracias por todo, Fernandita. (FERNANDITA *se inclina y
va a recoger su bandeja. Entra el* MAYORDOMO. RELAÑO,
*embozado, aparece por la primera izquierda y se recuesta
sobre el muro.)* Don Antonio Campos. Y mi carroza.

MAYORDOMO.—Sí, excelencia.

(Sale el MAYORDOMO. FERNANDITA *va a salir
con la bandeja, después de inclinarse.)*

ESQUILACHE.—*(Con la hiriente frialdad de un «ilustrado».)* ¿Sabes leer, Fernandita?

FERNANDITA.—*(Avergonzada.)* No, excelencia. Perdón,
excelencia...

(Sale, y entra CAMPOS. ESQUILACHE *le tiende
la Real Orden.)*

ESQUILACHE.—Don Antonio, una copia de esto a la Imprenta Real. Doble cantidad que otras veces. Debe ser fijado mañana por la mañana. Estamos a nueve, ¿no?

CAMPOS.—Sí, excelencia.

ESQUILACHE.—*Ecco.* Mañana, diez de marzo. *(Le da otro papel.)* Esta instrucción contra infracciones del bando al señor Corregidor y para todos los alcaldes del barrio, con copia de la Real Orden.

CAMPOS.—Sí, excelencia.

ESQUILACHE.—*Andiamo.*

> *(Sale por el foro. CAMPOS se inclina y sale tras él, cerrando, en tanto que el CIEGO pregona.)*

CIEGO.—El Noticioso, Curioso y Erudito para hoy, diez de marzo...

> *(La luz se amortiguó en el gabinete y crece en el primer término. Acompañado de CRISANTO y ROQUE, entra por la segunda izquierda un menestral de sombrero apuntado que lleva un tarro de engrudo y un rollo de bandos bajo el brazo. BERNARDO se vuelve lentamente, viéndolos cruzar. Llegan a la esquina posterior de la casa de la derecha y, tras ella, el hombre mima los gestos del que pega un cartel. El balcón se abre y DOÑA MARÍA, peinándose las greñas, asoma, intrigada. Un CESANTE —media edad, redingote, tricornio— entra por la primera izquierda y se acerca lentamente a mirar. Terminada su faena, el fijador de bandos y los dos alguaciles avanzan para salir por la primera derecha. BERNARDO se acerca al CESANTE, que está leyendo.)*

BERNARDO.—Lea en voz alta.

(El CESANTE *lo mira, intimidado, y carraspea.*)

CESANTE.—Pues dice... Um... (RELAÑO *se va acercando al centro de la escena mientras lee.* DOÑA MARÍA
le hace pabellón a la oreja.) ... «No habiendo bastado
para desterrar de la Corte el mal parecido y perjudicial
disfraz o abuso del embozo con capa larga, sombrero
chambergo o gacho, montera calada, gorro o redecilla,
las Reales Órdenes de los años dieciséis, diecinueve...»

BERNARDO.—¡Al grano!

CESANTE.—Pues... «Mando que ninguna persona, de
cualquier calidad, condición y estado que sea, pueda
usar...» Um... «del citado traje de capa larga y sombrero redondo para el embozo; pues quiero que todos
usen precisamente de capa corta, que a lo menos le falte
una cuarta para llegar al suelo, o de redingote o capin-
gote y de peluquín o pelo propio y sombrero de tres
picos de forma que de ningún modo vayan embozados
ni oculten el rostro...». Um... «Bajo la pena por primera vez de seis ducados o doce días de cárcel...» «Por
la segunda, doce ducados o...»

BERNARDO.—¡Basta ya!

(Un silencio.)

DOÑA MARÍA.—(Le arranca al peine la broza y la tira
a la calle.) ¡En Madrid ya no hay valientes!...

(BERNARDO *le lanza una viva mirada. Ella se
mete y cierra.*)

CESANTE.—En enero hicieron lo mismo con los em-
pleados públicos... Tuve que malvender mi capa para
comprarme esto... Luego no me sirvió de nada, porque

Esquilache redujo el personal... Yo era recomendado del señor duque de Medinaceli, pero no lo tuvieron en cuenta... Ahora como de su pan.

> (*Suspira. De repente,* BERNARDO *se abalanza al bando y lo arranca furiosamente, haciendo con sus restos una pelota que tira al suelo.*)

RELAÑO.—¡Los corchetes están cerca!

BERNARDO.—¡Que vengan si se atreven! ¡En Madrid va a haber gresca y tararira porque le da la gana a Bernardo el calesero! ¡Y el que quiera demostrarle a ese italianini con quién se la juega, que me lo diga a mí, que yo sé donde tenemos que apuntarnos todos!

RELAÑO.—¡Pues aquí tienes a un hombre y de otros sé que también querrán!

BERNARDO.—¡Pues ya tardamos!

> (*Le toma del brazo.*)

CESANTE.—(*Tras él.*) ¿De qué apuntamiento habla su merced?

BERNARDO.—(*Se vuelve.*) A su merced le apuntaron ya... el sombrero: ya es gallo capón. Esto es para gente más entera. Pero pregúntele a su señor el duque: a lo mejor, él sabe algo...

> (*El* CESANTE *lo mira y opta por salir aprisa por la primera derecha.* BERNARDO *ríe.* FER-NANDITA *apareció con su bolsa de compras por la segunda derecha y se ha parado para ver lo que ocurre.* BERNARDO *la ve ahora y deja de reír.*)

RELAÑO.—¿Qué esperamos?

BERNARDO.—Aguárdame en la calesa. (*Lo empuja.* RELAÑO *sale por la primera izquierda.* BERNARDO *se*

acerca a FERNANDITA, *que baja los ojos.)* Dios te guarde,
Fernandita... Las horas me paso rondándote y sin
verte... Tan ricamente que nos iba y, de pronto, me
huyes... ¿Qué te he hecho? *(Un silencio.)* ¿Di, qué te
he hecho? ¿Así tratas a un hombre de ley que te quiere? ¿Por qué? ¿Por algún mal pájaro de esa casa, quizá?
¿Algún hijo del marqués?...

FERNANDITA.—*(Ofendida.)* ¡Bernardo!

BERNARDO.—¡A todas os ciega el mismo brillo! Y tú
vives en mala escuela: la marquesa es una golfa y golfa
te hará a ti.

FERNANDITA.—¿Y qué puede importarte, si tú también me quieres para eso?

BERNARDO.—¿Cómo?

FERNANDITA.—¿Qué te va con que me hagan una
golfa, si tú también me quieres hacer una golfa?

BERNARDO.—*(Titubea.)* ¡Sabes que no son esas mis intenciones!

FERNANDITA.—*(Triste.)* No quise verte más desde que
supe que eras casado.

BERNARDO.—¿Qué? *(Improvisa, vacilante.)* ¡Chiquilla,
eso es un infundio! ¡Yo te juro...!

FERNANDITA.—*(Desgarrada.)* ¡No jures más!... *(Le-
vísima pausa.)* Tu mujer, tus dos hijos, nunca te ven...
Te gastas lo que ganas con mujerzuelas y en los garitos...
Te pasas la vida mintiendo y engañando... Y a mí...
(Se le quiebra la voz.) has querido engañarme también.

BERNARDO.—*(Le aferra una muñeca.)* ¡Yo sabré quién
te ha contado eso! ¡Caro le va a costar!

FERNANDITA.—*(Con un alarido, se suelta y cruza.)*
¡Déjame!

BERNARDO.—*(Retrocede, jadeante.)* ¡Esto no va a quedar así, Fernandita! Tú me quieres.

FERNANDITA.—*(Llorando.)* ¡No!

BERNARDO.—Casado o soltero, me quieres... ¡Y serás mía!

FERNANDITA.—¡Rufián!...

BERNARDO.—*(Con maligna sonrisa.)* ¡Nos veremos!

> *(Sale, brusco, por la primera izquierda. An-gustiada, FERNANDITA le mira alejarse. Luego recoge la pelota de papel, la estira un poco, la vuelve a arrugar, asustada y sale, llevándosela, por la segunda izquierda. Entretanto entraron al gabinete por el fondo el MAYOR-DOMO y CAMPOS, éste con una carpeta que dejó sobre la mesa. El MAYORDOMO ha permanecido junto a la puerta mientras el secretario ordena unos papeles. Inicióse un leve oscurecimiento en el primer término y, al salir FERNANDITA, crece la luz en el gabinete.)*

CAMPOS.—Cierre.

> *(El MAYORDOMO lo hace.)*

CIEGO.—El Noticioso, Curioso y Erudito para hoy, once de marzo...

CAMPOS.—¿Cuántas veces la llamó desde ayer?

MAYORDOMO.—Esta es la cuarta, don Antonio.

CAMPOS.—¿Dónde están?

MAYORDOMO.—*(Señala a la izquierda.)* Le ha servido el desayuno ahí dentro.

> *(CAMPOS mira hacia la puerta en el momento mismo en que ésta se abre.)*

CAMPOS.—¡Chist!

> *(Disimulan ambos. ESQUILACHE entra en bata, estudiando un papel que trae en la mano. Levanta los ojos y los mira.)*

ESQUILACHE.—*(A CAMPOS.)* ¿Novedades?

Campos.—Nada grave, excelencia.

Esquilache.—¿De veras? *(Va a la mesa y deja el papel.)* ¿Es que no hay informes de la Policía?

Campos.—*(Inmutado.)* No me pareció oportuno distraer a vuecelencia con simples cosas de trámite.

Esquilache.—¡*Santa Madonna!* Cosas de trámite. *(Seco.)* ¿Qué ocurre con el bando?

Campos.—*(Vacila.)* Pues...

Esquilache.—Yo le diré lo que ocurre con los bandos. *(Saca del bolsillo de la bata la pelota que recogió* Fernandita *y la extiende ante los ojos del secretario.)* ¡Los están arrancando todos!

Campos.—*(Abre su carpeta.)* Aquí están los informes de la Policía.

Esquilache.—¡Tarde me los da! *(Le arrebata los papeles y se sienta.)* Felizmente, yo soy más rápido. *(Deja a un lado los informes y recoge el papel que traía al entrar.)* Esta es una orden para el señor Corregidor. Séllela y que un oficial de mi antecámara la lleve en el acto: ha de empezar a cumplirse esta misma mañana. *(Se la tiende.)* Puede leerla.

Campos.—*(La repasa.)* ¿Sastres?

Esquilache.—¿Qué le asombra? El bando tiene que cumplirse. Llévela inmediatamente y vuelva.

Campos.—Sí, excelencia. *(Sale por el foro.)*

Esquilache.—¿Alguien en la antecámara?

Mayordomo.—El señor duque de Villasanta, excelencia.

Esquilache.—*(Se sobresalta.)* ¿Desde cuándo?

Mayordomo.—Desde hace una hora, excelencia.

Esquilache.—*(Da un golpe en la mesa y se levanta, irritado.)* ¿Por qué no me ha avisado?

Mayordomo.—Como su excelencia estaba ocupado..., creí...

> *(Un silencio.* Esquilache *mira a la puerta de la izquierda, pasea y lo mira de soslayo.)*

ESQUILACHE.—Yo no había dado ninguna orden.

MAYORDOMO.—Ha sido un error, excelencia, que deploro con toda mi alma.

ESQUILACHE.—Ya. Un error más. *(Golpecitos en la puerta entreabierta.)* ¡Adelante! *(Entra* CAMPOS. *Al* MAYORDOMO:*)* Mi casaca. *¡Súbito!*

> *(Se despoja de la bata y queda en chupa. El* MAYORDOMO *la recoge y va hacia la puerta de la izquierda.)*

CAMPOS.—La orden acaba de salir, excelencia.

> *(*ESQUILACHE *saca su reloj y lo mira. Se vuelve al* MAYORDOMO, *que titubea ante la puerta, y le dice con voz suave.)*

ESQUILACHE.—¿Y mi casaca?

MAYORDOMO.—Ahora mismo, excelencia.

> *(Abre la puerta y sale, bajo la mirada de* ESQUILACHE.*)*

ESQUILACHE.—¿Se introdujeron las nuevas cuadrillas en el empedrado de la plaza Mayor?

CAMPOS.—Desde ayer. Ahorraremos un mes de trabajo.

ESQUILACHE.—¿Qué hay de Ensenada?

CAMPOS.—Le pasé dos veces recado. Parece que no está en Madrid.

ESQUILACHE.—¿Dónde se habrá metido?... *(El* MAYORDOMO *vuelve y cierra.)* Ah... *(Mientras se pone la casaca que le trae.)* ¿Está en casa la señora marquesa?

MAYORDOMO.—Ha salido, excelencia.

ESQUILACHE.—Si vuelve, que me haga la merced de venir.

MAYORDOMO.—Bien, excelencia.

ESQUILACHE.—Haga pasar al señor duque de Villasanta. O si no, iré yo mismo. Retírense de aquí.

> *(Sale por el foro.* EL MAYORDOMO *se inclina.
> La luz va creciendo suavemente en el primer
> término: es como un rayo de sol que fuese
> rompiendo nubes.)*

CAMPOS.—¿Sigue ahí?

MAYORDOMO.—Sentada en una silla... Se ha puesto
colorada al verme entrar. *(Se disimulan mutuamente la
sonrisa.)*

CAMPOS.—Salgamos. *(Salen los dos por el foro. Una
pausa.)*

CIEGO.—*(Da unos pasos hacia el centro de la escena
y se detiene. Tanteando, se sienta en los peldaños del
giratorio, bajo la mesa de* ESQUILACHE. *Habla para sí.)*
Ya puede uno sentarse en la calle... *(Ríe débilmente.)*
Marzo tiene estas sorpresas: frío, ventisca... Y, de
pronto, un sol muy dulce. ¿Será dulce este marzo en
Madrid?... Para mí al menos, que soy ya como un perro
a quien sólo le importa el sol y la pitanza...

> *(Enmudece, arrebujándose en su casacón.*
> ESQUILACHE *y* VILLASANTA *se hacen una re-
> verencia ante la puerta del foro. Entra el*
> DUQUE *y* ESQUILACHE *cierra la puerta. El*
> DUQUE DE VILLASANTA *es un noble español
> de edad indefinida, chapado a la antigua. La
> peluca, como la de* ENSENADA, *pasada de
> moda. Sobre la cerrada casaca lleva borda-
> da la verde venera de Alcántara. Viene cla-
> ramente molesto.* ESQUILACHE *extrema sus
> sonrisas de amabilidad.)*

ESQUILACHE.—No sé cómo desagraviarte, querido Villasanta. Mi mayordomo es un imbécil. Dígnate tomar asiento...

(Le indica un sillón.)

VILLASANTA.—*(Glacial.)* Gracias.

(Se sienta en el sillón de la derecha y Es-QUILACHE ocupa otro, junto a la consola.)

ESQUILACHE.—Creo que es la primera vez que cruzamos la palabra...

VILLASANTA.—Así es.

ESQUILACHE.—Me harás feliz si puedo servirte en algo. ¿A qué debo el honor de tu visita?

VILLASANTA.—Poca cosa. Y sin ninguna dificultad, creo, para vuecelencia.

(ESQUILACHE tuerce el gesto al advertir el tratamiento.)

ESQUILACHE.—Me encantará complacerte. Pero aunque vengas a hablar al ministro, el tratamiento sobra, ¿no crees?

VILLASANTA.—Muy reconocido a la deferencia de usía.

(ESQUILACHE lo mira, se levanta y va a la mesa. Pensando en otra cosa examina algún papel.)

ESQUILACHE.—¿Debo pedir perdón? Creí que entre nobles se acostumbraba el tuteo.

VILLASANTA.—Es a mí a quien debe disculpar si no logro hacerme a esa costumbre.

ESQUILACHE.—*(Se vuelve y lo mira. Decide atacar, aunque sonriente.)* Sobre todo, con ciertos títulos recientes, ¿no? *(Va hacia él.)* Si yo fuese el sinuoso italiano que dicen que soy, dejaría pasar esto sin comentario. Pero da la casualidad de que no soy tan prudente como dicen. ¿Prefiere que nos tratemos de usía? Bien. Pues yo he visto a usía tutear a otros nobles. *(Ademán de hablar de* VILLASANTA.*)* ¡Ya, ya sé que eran títulos de dos o tres siglos! ¡Los famosos tres siglos! Yo he remediado en el breve término de tres años los abusos en España y en América de esos tres siglos, muy gloriosos pero muy mal administrados. Es así como se ganan los títulos, ¿no? Usía debe saberlo por la historia de sus abuelos. Los gobernantes de esta hora no solemos tener abuelos linajudos. Somos unos advenedizos que saben trabajar y eso es imperdonable para la antigua nobleza, que ya no sabe hacerlo. *(Ríe.)* Usía es muy agradable, de veras: le cuesta trabajo disimular sus sentimientos y a mí me ocurre lo mismo. Esto aumenta mi deseo de complacerle. ¿De qué se trata?

VILLASANTA.—*(Se levanta.)* No suelo pedir… Ignoro sin duda por eso la manera de hacerlo. Olvide mi visita.

ESQUILACHE.—De ningún modo. Usía debe exponerme su asunto. *(Vacilación de* VILLASANTA.*)* ¿Tendré que recordarle que está en mi casa?

(Le indica el sillón.)

VILLASANTA.—*(Suspira y se sienta.)* Se trata de una reposición. El hijo del capataz de mi finca de Extremadura prestaba sus servicios en el despacho de Hacienda y le echaron en la última reducción de personal. Se había casado aquí… Era su único medio de vida…

ESQUILACHE.—¿No podría usía facilitarle algún otro en Extremadura?

VILLASANTA.—Usía dijo que deseaba atender mi petición.

ESQUILACHE.—*(Se sienta.)* Consideremos el asunto, duque. La reducción del personal era una medida necesaria. Las oficinas públicas se ahogaban bajo el peso de

tanto... protegido. Son gentes que nunca debieron salir
de sus pueblos. Usía pensará que se puede hacer una
excepción, pero habría que hacer tantas... Casi todos
los expulsados eran... protegidos.

VILLASANTA.—De modo que se niega usía.

ESQUILACHE.—Lo deploro sinceramente.

VILLASANTA.—*(Después de un momento.)* He debido
recordar que en estos tiempos los favores se reservan
para otros. A nosotros se nos dedican ya solamente
bellas palabras fingidas.

ESQUILACHE.—*(Ríe levemente.)* ¿Me acusa de hipócrita? *(Se levanta y pasea.)* Pues bien, *è vero*. Pero ¿qué
es un hipócrita? Pues un desdichado que sólo acierta a
tener dos caras. En el fondo, un ser que disimula mal, a
quien insultan con ese epíteto los que disimulan bien.
El hipócrita Esquilache tiene que mentir, pero miente
mal y es detestado. No es uno de esos hombres encan-
tadores que tienen una cara para cada persona: él sólo
tiene dos y se le transparenta siempre la verdadera...
(Grave.) La verdadera es la de un hombre austero que,
si entra en el juego de las dádivas y de los halagos, nada
quiere para sí. La de un hombre capaz de enemistarse
con toda la nobleza española si tiene que defender cualquier medida que pueda aliviar la postración de un país
que agonizaba.

VILLASANTA.—Y que tiene que afrancesarse para revivir, ¿no?

ESQUILACHE.—Por desgracia, es verdad. ¿Cree que
soy enemigo de lo español? He aprendido a amar a
esta tierra y a sus cosas. Pero no es culpa nuestra si sus
señorías, los que se creen genuinos representantes del
alma española, no son ya capaces de añadir nueva glo-
ria a tantas glorias muertas...

VILLASANTA.—¿Muertas?

ESQUILACHE.—Créame, duque: no hay cosa peor que
estar muerto y no advertirlo. Sus señorías lamentan que
los principales ministros sean extranjeros, pero el rey
nos trajo consigo de Italia porque el país nos necesitaba

para levantarse. Las naciones tienen que cambiar si no quieren morir definitivamente.

VILLASANTA.—¿Hacia dónde? ¿Hacia la Enciclopedia? ¿Hacia la «Ilustración»? ¿Hacia todo eso que sus señorías llaman «las luces»? Nosotros lo llamamos, simplemente, herejía.

ESQUILACHE.—*(Se estremece.)* No hay hombre más piadoso que el rey Carlos y usía sabe que no toleraría a su lado a quien no fuese un ferviente católico.

VILLASANTA.—Sin duda por eso han apagado sus señorías las hogueras del Santo Oficio.

ESQUILACHE.—*(Después de un momento.)* Hemos apagado *(Recalca.)* cristianamente las hogueras del Santo Oficio porque nuestra época nos ha enseñado que es monstruoso quemar vivo a un ser humano, aunque sea un hereje. El infierno es un misterio de Dios, duque: no lo encendamos en la Tierra.

VILLASANTA.—Blanduras, marqués. Blanduras tras las que se agazapa la incredulidad, y que nos traerán lo peor si no lo cortamos a tiempo.

ESQUILACHE.—¿Lo peor?

VILLASANTA.—*(Se levanta.)* La desaparición en España de nuestra Santa Religión.

ESQUILACHE.—*(Ríe.)* Mal confía en ella si cree que puede desaparecer tan fácilmente. Le aseguro que dentro de uno o dos siglos, a los más intransigentes católicos no se les ocurrirá ni pensar en quemar por hereje a un ser humano. Y no por eso la religión habrá desaparecido. Puede que esos católicos se crean sucesores directos de sus señorías; pero en realidad serán nuestros sucesores. Y ése es todo el secreto: nosotros marchamos hacia adelante y sus señorías no quieren moverse. Pero la Historia se mueve.

VILLASANTA.—Es fácil hablar del futuro sin conocerlo.

ESQUILACHE.—Como usía, aventuro mis pronósticos. ¿Quiere que le dé otro?

VILLASANTA.—*(Leve inclinación irónica.)* Será un placer.

ESQUILACHE.—El que no quiera cambiar con los cambios del país se quedará solo.

VILLASANTA.—*(Ríe.)* No será otro acto de hipocresía, marqués...

ESQUILACHE.—¿Por qué iba a serlo?

VILLASANTA.—Vamos, señor ministro. Supongo que no ignora que el pueblo está arrancando los bandos de capas y sombreros. No parece que quiera cambiar mucho...

> *(El* CESANTE *entra por la segunda derecha y va a pasar de largo. Repara en algo que hay en la pared donde pegaron el bando y se vuelve a leerlo, muy interesado. El* CIEGO *no se mueve, pero sonríe.)*

ESQUILACHE.—*(Después de un momento.)* El pueblo sabe aún muy poco... Y quizá es ahora fácil presa de perturbadores sin ocupación... Tal vez de protegidos sin trabajo. *(Se miran fijamente.* ESQUILACHE *agita dos veces la campanilla y dice secamente:)* Siento no poder atender a su petición, duque. No sería honesto.

> *(*VILLASANTA *enrojece y se dirige al foro. Allí se vuelve.)*

VILLASANTA.—¿Puedo, antes de retirarme, felicitar a usía por las brillantes carreras de sus hijos? *(*ESQUILACHE *se estremece. Ha sido tocado.)* Creo que el mayorcito es ya mariscal de campo... *(El* MAYORDOMO *entra.)* Es admirable, tan joven... Sin duda en el Ejército faltan generales: ha hecho muy bien usía en ascenderlo. *(*ESQUILACHE *se muerde los labios: no puede contestar.)* Siempre a sus pies, señor ministro.

> *(Se inclina y sale. El* MAYORDOMO *sale tras él y cierra.* ESQUILACHE *se recuesta sobre la mesa, profundamente turbado.)*

CIEGO.—¿Qué dice ese papel?

CESANTE.—*(Lo mira.)* ¿Eh? ¿Cómo sabe...?

CIEGO.—He notado que se paraba.

CESANTE.—*(Se rasca la cabeza y da unos pasos hacia el* CIEGO.*)* Pues dice... que se levantarán tres mil españoles contra Esquilache si no retira la orden... Muchos me parecen.

CIEGO.—Usté sabe que serán más. ¿O es que no le dice nada el señor duque de Medinaceli?

CESANTE.—(Retrocede, asustado.) ¿Eh?

CIEGO.—*(Ríe.)* No se asuste... Le recuerdo por la voz.

> *(*ESQUILACHE *mira hacia la puerta de la izquierda y se dirige lentamente hacia ella. Va a abrir, pero se detiene, dudoso.)*

CESANTE.—Yo no sé nada. Yo no me meto en nada. Quede con Dios.

> *(Sale, rápido, por la segunda izquierda. El* CIEGO *ríe y pregona.)*

CIEGO.—¡El Gran Piscator de Salamanca, con los augurios para este año!

> *(*ESQUILACHE, *que iba a abrir la puerta, levanta la cabeza y escucha. Se pasa la mano por la frente tratando de sacudir su inquietud. Golpecitos en el foro.* ESQUILACHE *da unos pasos y alisa su casaca.)*

ESQUILACHE.—Adelante.

> *(Entra* DOÑA PASTORA *y cierra.)*

DOÑA PASTORA.—¿Me has llamado?

ESQUILACHE.—Sí. ¿Quieres sentarte?

DOÑA PASTORA.—Déjame antes preguntarte una cosa: ¿Es cierto que has ordenado el pase a tu servicio de Fernandita?

ESQUILACHE.—*(Titubea.)* Pensaba decírtelo ahora. Supongo que no te costará trabajo sustituirla.

DOÑA PASTORA.—*(Se sienta.)* No es tan fácil. Tiene manos primorosas para los dulces.

ESQUILACHE.—Por eso mismo... He notado que los de ella no me despiertan el dolor.

DOÑA PASTORA.—Puedes quedártela. Al fin y al cabo, no me agradaba.

ESQUILACHE.—¿Por qué?

DOÑA PASTORA.—Demasiado natural con sus superiores. Pero yo creo que es una hipócrita.

(ESQUILACHE *desvía la vista.)*

ESQUILACHE.—Tal vez.

DOÑA PASTORA.—¿Qué me querías? *(Un silencio.* ESQUILACHE *saca sus espejuelos y se acerca para mirar un broche que la marquesa lleva en el pecho.)* ¿Te gusta mi broche? ¿Verdad que es bonito?

ESQUILACHE.—Nunca te lo vi.

DOÑA PASTORA.—Lo acabo de comprar. Y muy barato, no creas, porque...

ESQUILACHE.—*(La interrumpe.)* Celebro que lo lleves puesto, pues así te ahorras un paseo a tus habitaciones. Dámelo.

DOÑA PASTORA.—*(Intenta levantarse.)* ¿Qué?...

ESQUILACHE.—*(Violento, la obliga a permanecer sentada.)* ¡Dame ese broche!

DOÑA PASTORA.—¡Es mío!

ESQUILACHE.—*(Mordiendo la palabra, echa mano al broche.)* ¡Dámelo!...

DOÑA PASTORA.—*(Forcejea.)* ¡No me pongas la mano

encima! (ESQUILACHE *se lo arranca y se aparta, agitado, mientras ella se levanta, iracunda.*) ¡Eres repugnante!

(ESQUILACHE, *que miraba el broche con detenimiento, le lanza una ojeada. Luego deja el broche sobre la mesa.*)

ESQUILACHE.—El pobre imbécil me estuvo mareando durante todo el banquete con ese cargo que desea en las Indias. Pero cometió la torpeza de insinuarme que te había enviado ya un regalo... Mi Policía ha hecho lo demás. Esta mañana tenía yo la descripción de la joya que había comprado para ti: ésta. *(Un silencio.)* Un regalo más que aceptas a mis espaldas, y con un descaro que no quiero comentar, porque tú no ibas a interceder por él: te lo tengo prohibido. *(Un silencio.)* Hay mujeres en la Galera por cosas así, pero con la diferencia de que han estafado menos. (DOÑA PASTORA *va a cruzar.*) ¡Aguarda! Contéstame antes de salir a una pregunta: ¿Debo yo darle a ese aprovechado el cargo que quiere para robar a manos llenas, o debo dejar en mal lugar a mi esposa y devolverle el broche?... ¿Callas?... El broche será devuelto con una excusa cortés.

DOÑA PASTORA.—¿Puedo ya retirarme?

ESQUILACHE.—*(Suspira.)* Aún no, Pastora... Debo decirte algo muy grave y te aconsejo que vuelvas a sentarte.

DOÑA PASTORA.—Estoy bien de pie.

ESQUILACHE.—*(Cansado.)* ¿Sí? Yo no... *(Se sienta, con cara de malestar.)* Y debo decírtelo... *(Sonríe en medio de un rictus doloroso.)* ¡Este estúpido dolor que me toma cuando menos falta hace... no lo va a impedir!

(Jadea, sin poder hablar.)

DOÑA PASTORA.—*(Con una vengativa sonrisa.)* Estoy esperando.

ESQUILACHE.—Tú eres la culpable... de mi mala fama... Entre tú y nuestros hijos... se destruye mi obra entera todos los días... Y ya no hay solución... Ya sólo queda... un remedio.

DOÑA PASTORA.—¿Cuál?

(ESQUILACHE *se incorpora un poco y suspira.*)

ESQUILACHE.—¡Ah!... Ya se pasa. *(La mira.)* He decidido pedir al rey la renovación de todos los cargos de nuestros hijos...

DOÑA PASTORA.—¿Qué has dicho?

ESQUILACHE.—*(Voz llena.)* Y nuestra separación.

DOÑA PASTORA.—*(Grita.)* ¿Estás loco?

ESQUILACHE.—¡Ni una palabra, te lo ruego! Mi decisión es firme.

DOÑA PASTORA.—*(Roja de ira.)* ¡No te atreverás a cometer semejante desatino, imbécil! ¡No destruirás tu hogar, porque también es el mío! ¿Lo oyes? ¡Y si te atreves a...!

ESQUILACHE.—*(Fuerte.)* ¡Cállate!

DOÑA PASTORA.—¡No me levantes la voz!

ESQUILACHE.—*(Grita.)* ¡Silencio he dicho! Es tarde ya para que pronuncies una sola palabra. Retírate.

DOÑA PASTORA.—¡No te saldrás con la tuya!

(*Y se encamina, rápida, hacia la izquierda.*)

ESQUILACHE.—¡Pastora! *(Ella se vuelve.)* Por allí.

(*Señala al foro.*)

DOÑA PASTORA.—*(Reanuda su marcha.)* Voy a mi tocador.

ESQUILACHE.—¡Por ahí, no!

DOÑA PASTORA.—¿También me vas a prohibir en mi casa que vaya por donde quiera?

(*Va a la puerta de la izquierda y la abre, antes de que él pueda impedirlo.*)

ESQUILACHE.—(*Da unos pasos tras ella.*) ¡Pastora!

(DOÑA PASTORA *se ha parado en seco al mirar al interior. Despacio, vuelve a cerrar y se enfrenta con su marido.*)

DOÑA PASTORA.—(*Con maligna sonrisa.*) Debí comprenderlo antes.

ESQUILACHE.—(*Se aparta, irritado.*) No hay nada que comprender.

DOÑA PASTORA.—(*Tras él.*) El señor marqués sueña a la vejez con una vida nueva, ¿verdad? Quizá no ha olvidado aún los versos del Dante. (*Ríe.*) ¡Ah, cómo te conozco!

ESQUILACHE.—¡Cállate!

DOÑA PASTORA.—Pero claro: el señor marqués es muy honesto. Antes hay que repudiar a la mujer y a los hijos. ¡Todo el equipaje por la borda!

ESQUILACHE.—¡Sal inmediatamente!

DOÑA PASTORA.—(*Ríe.*) Descuida... Me guardaré de intervenir en tu idilio con esa intrigante. (*Con la mano en el pomo de la puerta del fondo.*) Pero cuídate... (*Ríe.*) Ya no eres un mozo... (*Dura.*) Y guárdate de mí.

(*Abre y sale, cerrando de golpe.* ESQUILACHE *permanece inmóvil, muy turbado, mirando hacia la izquierda. Al fin se decide, va a la puerta y la abre.*)

ESQUILACHE.—Puedes retirar el servicio, Fernandita. (FERNANDITA *entra con la bandeja del chocolate y se en-*

camina al foro. Él no la pierde de vista.) Un momento...
(Ella se vuelve y aventura una sonrisa.) Deja eso allí.
(Ella deja la bandeja en la consola.) Y siéntate.

FERNANDITA.—*(Vacila.)* Señor marqués...

ESQUILACHE.—*(Brusco.)* ¡Vamos, siéntate! ¿Qué esperas?

FERNANDITA.—*(Turbada.)* Con su permiso, señor. *(Se sienta, muy envarada.* ESQUILACHE *está junto a la mesa. La considera un momento, enigmático; toma el broche y se acerca a ella.)* ¿Te gusta?

FERNANDITA.—¡Oh!... ¡Qué hermosura!

ESQUILACHE.—*(Ríe.)* ¡Dejarías de ser mujer si no te gustase!

FERNANDITA.—*(Ingenua.)* No, señor. Es que es muy bonito.

ESQUILACHE.—*(Entre risas.)* ¡Ah! ¡La terrible, la irresistible ingenuidad!

FERNANDITA.—No comprendo.

ESQUILACHE.—*(Baja la voz.)* ¿Te gustaría que te regalase este broche?

FERNANDITA.—*(Asombrada.)* ¿A mí?

ESQUILACHE.—¿Te gustaría?

FERNANDITA.—*(Después de un momento, baja los ojos.)* No, señor. Esas cosas no se han hecho para muchachas como yo.

ESQUILACHE.—*(Va a la mesa y tira el broche sobre ella.)* Dime una cosa, Fernandita: ¿Crees que te he ofrecido el broche de verdad?

FERNANDITA.—*(Compungida.)* A mí me parece... A mí me gustaría creer... que era una broma de su merced.

ESQUILACHE.—Y... ¿con qué cara me dices tú eso? ¿Lo has rechazado de corazón? Yo me he pasado la vida tratando de leer tras las caras... Es difícil.

FERNANDITA.—*(Después de un momento.)* Su merced desconfía de mí.

ESQUILACHE.—Y tú de mí. ¿No?

FERNANDITA.—*(Llorosa.)* Yo... no sé...

(Él se acerca. Le levanta la barbilla.)

ESQUILACHE.—Lágrimas. He visto muchas lágrimas.

FERNANDITA.—Permítame su merced que me retire.

ESQUILACHE.—Si tú lo quieres... *(Se aparta. Ella se levanta.)* Pero no desconfíes de mí. *(Ella va hacia la consola.)* Aunque te llame constantemente...

FERNANDITA.—Me llama cuando necesita que le sirva algo...

ESQUILACHE.—No. Lo hago porque quiero tenerte cerca. *(Ella baja los ojos.)* Aunque sin ninguna mala intención. ¿Puedes tú comprender eso?

FERNANDITA.—Sí, señor.

ESQUILACHE.—*(Suspira.)* Pero no debo hacerlo más... Que se piense mal de mí es inevitable, pero no tengo derecho a que a ti te difamen. *(Suspira.)* Ahora retírate.

(FERNANDITA *recoge la bandeja y va al foro. Allí se vuelve.)*

FERNANDITA.—*(Con un extraño anhelo.)* A mí no me importan las habladurías... ¡Si a su merced le agrada llamarme, no deje de hacerlo!...

ESQUILACHE.—*(Que vuelve a desconfiar.)* Retírate ahora. *(Agita una vez la campanilla. La puerta se abre y entra el* SECRETARIO. *Ella se inclina y sale.)* Recoja esa carpeta: vamos al Consejo de Hacienda. (CAMPOS *lo hace.* ESQUILACHE *se encamina al foro. Se detiene, pensativo, y saca su reloj.)* Si el señor Corregidor se ha movido, estarán ya instalando puestos en todos los barrios. ¿Quiere mirar si hay ya alguno en la plaza?

CAMPOS.—Sí, excelencia. *(Se acerca al ventanal.)* No veo nada... Pero por Infantas desembocan ahora cuatro alguaciles y un paisano.

ESQUILACHE.—Ellos deben de ser. *Andiamo presto.*

> *(Sale, seguido de* CAMPOS, *que cierra. Inme-*
> *diatamente después de las palabras de éste,*
> *han aparecido por la segunda derecha* CRI-
> SANTO *y* ROQUE, *seguidos de un* PAISANO *con*
> *un capacho y dos* ALGUACILES *más.* CRISAN-
> TO *se dirige en seguida al portal y entra en*
> *él.* ROQUE *repara en el pasquín, lo arranca y*
> *permanece junto a la esquina. El* PAISANO
> *aguarda en medio de la escena. El* ALGUA-
> CIL 1.º *se dirige al* CIEGO *y el* 2.º *se sitúa*
> *estratégicamente a la izquierda.)*

ALGUACIL 1.º—Váyase de aquí, abuelo.

CIEGO.—¿Por qué?

ROQUE.—*(Alto.)* ¡Puede caerle algún golpe!

CIEGO.—*(Se levanta, risueño.)* Los golpes llueven sobre quien menos se lo piensa, seor alguacil.

ALGUACIL 1.º—Por eso mismo debe irse.

CIEGO.—¡Lástima! ¡Con el sol tan rico que cae ahora!
Gracias de todos modos por el aviso. Y que Dios le
guarde.

> *(Sale por la segunda izquierda y el* ALGUA-
> CIL 1.º *se sitúa en ella después de verle mar-*
> *char.* CRISANTO *sale del portal.)*

CRISANTO.—Ya tiene mesa y silla dispuesta, maestro.
(Doña MARÍA *se asoma al balcón, muy intrigada.)* ¡Pero
no se canse! Los sombreros, con alfileres, y a las capas,
la tijera.

PAISANO.—*(Se encamina al portal.)* ¡Vaya chapuza!

ROQUE.—¡No rechiste!

CRISANTO.—¡Calma!...

> *(El* PAISANO *entra en el portal.)*

Doña María.—(*A* Crisanto.) Seor alguacil, ¿qué ocurre?

Roque.—¡Métase para dentro!

Crisanto.—¡Déjala, hombre! Está en su casa. (Doña María *se mete refunfuñando, pero atisba tras los visillos. Una pausa. De pronto, el* Alguacil 1.º *sisea y señala a la primera derecha. Por ella entra un* Hombre *del pueblo, embozado, que cruza.*) ¡Eh, paisano! (*El embozado mira a los alguaciles y se baja el embozo.*) ¿No ha leído el bando?

Embozado 1.º—Precisamente me lo iba diciendo: en cuanto llegue a casa le digo a la parienta que me recorte la capa y me apunte el sombrero.

> (*Con una muda risita,* Roque *se va acercando a él.*)

Roque.—(*Le pone la mano encima y le empuja hacia el portal.*) Aquí, salvo la multa, te lo hacemos de balde.

Embozado 1.º—¿Qué?

Roque.—Verás qué guapo te dejamos.

Embozado 1.º—Le juro, seor alguacil, que ahora mismo llego a casa y...

Roque.—¡Entra!

> (*Lo empuja y sale tras él.*)

Alguacil 1.º—¡Allí se escurre otro!

> (*Señala.*)

Alguacil 2.º—¡Deja, yo lo cazo!

> (*Corre a la segunda izquierda y sale al punto empujando a otro embozado que, cosa rara, no trae sombrero, sino tan sólo la redecilla.*)

ALGUACIL 1.º—¡Je! ¿Dónde se dejó usté el chambergo?

(El EMBOZADO *lo mira y no contesta.*)

ALGUACIL 2.º—¡Trae la capa!

EMBOZADO 2.º—*(Se resiste.)* ¡Es mía!

CRISANTO.—Toda no, buen mozo. Su majestad quiere una cuarta.

(El ALGUACIL 2.º *le quita la capa. El* EMBOZADO *oculta a la espalda el sombrero.*)

ALGUACIL 1.º—*(Señala.)* ¡Mira qué sombrerito más lindo aparece por ahí!

(El ALGUACIL 2.º *vuelve al* EMBOZADO *para verlo.*)

ALGUACIL 2.º—¡Y qué redondito! *(Risas.)* ¿Es que le está chico, paisano?

EMBOZADO 2.º—No, señor.

ALGUACIL 2.º—Si no se lo pone se va a constipar. Venga conmigo.

(*Lo lleva al portal, donde aparece el* EMBOZADO 1.º *con la capa al brazo. Tras él,* ROQUE. *Los dos embozados se miran.*)

CRISANTO.—¿Pagó la multa?

ROQUE.—¡Pues claro! (El EMBOZADO 2.º *y el* ALGUACIL 2.º *entran en el portal.* ROQUE *tira de la capa del* EMBOZADO 1.º) ¿No te la pones?

EMBOZADO 1.º—No tengo frío. (ROQUE *le encasqueta el chambergo, al que le han apuntado los tres candiles con alfileres, y el* EMBOZADO *se lo quita al punto.*) ¡Anda a tus asuntos!

(El EMBOZADO 1.º *sale, furioso, por la segunda izquierda.*)

NÚM. 1510.—6

Alguacil 1.º—¡Recuerdos a la parienta!

(*Risas de* Roque.)

Crisanto.—Sin ofender... (*Las risas cesan.*) Atención, que ahí viene otro. Y muy tranquilo. (*En efecto: por la primera izquierda entra otro* Embozado *de andares despaciosos y petulantes. Mira con descaro al* Alguacil 1.º, *después a los otros y, contoneándose, da unos pasos hacia el centro de la escena.*) Alto, paisano. ¿No leyó el bando?

Embozado 3.º—(*En jaque.*) ¡Velay!

Crisanto.—¿Velay? ¿Y qué es velay?

Embozado 3.º—¡Que sí! ¡Que lo he leído!

Crisanto.—¿Y por qué no lo cumple?

Embozado 3.º—¡Porque no me da la gana!

Roque.—¡Bocazas!

> (*Va hacia él. El* Alguacil 1.º *se adelanta también. El* Embozado *retrocede rápido y saca una mano armada de temible facón.* Doña María *asoma a su balcón y sigue el incidente con expresivos gestos de simpatía por el embozado.*)

Embozado 3.º—¡Quietos! ¡Al que se acerque, lo ensarto!

Roque.—(*Mientras desenvaina.*) ¡Vas a probar ésta, bergante!

Crisanto.—(*Se acerca.*) ¡Rodéalo! (*El* Alguacil 1.º *lo rodea.*) ¡No resista, que le costará caro!

(*Desenvaina.*)

Embozado 3.º—¡A ver quién es el guapo!

> (*El* Alguacil 1.º *lo sujeta por detrás. Los otros dos caen sobre él.*)

CRISANTO.—¡Suelta eso!
ROQUE.—¡Gran bestia!
EMBOZADO 3.º—¡Atrás!

> *(Su mano dibuja con la faca temibles molinetes.)*

ALGUACIL 1.º—¡Ah!...

> *(Gime. Le han herido. El* ALGUACIL 2.º *aparece en el portal.)*

CRISANTO.—¡Aquí, aprisa!

> *(El* ALGUACIL 2.º *corre a ayudarlos.)*

EMBOZADO 3.º—¡Dejadme! ¡Soltadme! ¡Me caso en...!

> *(Pero logran reducirlo.* CRISANTO *sujeta al* ALGUACIL 1.º, *que desfallece.)*

ROQUE.—¡Trae!

> *(Le arrebata el facón al embozado.)*

CRISANTO.—*(Mientras pasa el brazo del* ALGUACIL 1.º *por su cuello.)* Llevadlo. *(Al herido.)* Vamos al portal.

> *(Lo lleva despacio mientras los otros dos empujan y golpean al embozado.)*

ROQUE.—¡A galeras vas a ir!
ALGUACIL 2.º—¡En la cárcel te pudrirás!

> *(El embozado se resiste: lo golpean.)*

ROQUE.—¡Vamos!

Doña María.—¡No le peguen!...

Embozado 3.º—¡Viva el rey!... ¡Pero muera Esquilache!...

Roque.—*(Puñetazo.)* ¡Camina!

Embozado 3.º—¡Muera Esquilache!... *(Salen por la segunda derecha, mientras* Crisanto *mete en el portal al* Alguacil *herido. La voz desesperada del embozado se va perdiendo. La luz se amortigua.)* ¡Muera Esquilache! ¡Muera Esquilache!

(El giratorio se desliza y presenta el ángulo de las dos puertas, oculto ahora por dos tapices donde se representan escenas venatorias. La escena se sume en total oscuridad, al tiempo que crece un alto foco blanco que ilumina, ante los tapices, a una curiosa figura. Es un hombre alto y enjuto de unos cincuenta años: la nariz prominente y derribada, la boca sumida y risueña, los ojos melancólicos. Viste sobrio atavío: un tricornio negro sin galón ni plumas, una casaca sin bordados, color corteza, chupa de ante galoneada de oro con cinturón del que pende un cuchillo de caza, pañuelo de batista al cuello y calzón y polainas negros. Con la derecha sostiene los blancos guantes de piel; con la izquierda, la larga escopeta de caza, que apoya en el suelo. El Marqués de Esquilache *entra por la derecha, se acerca al giratorio, se arrodilla en las gradas y le pide la mano a besar: es el* Rey Carlos III.)*

El Rey.— ¿Tú aquí?

Esquilache.—A los pies de vuestra majestad.

El Rey.—*(Le ayuda a levantarse.)* ¿Ocurre algo en Madrid?

Esquilache.—Ha corrido la primera sangre, señor. A esta hora, son ya muchos los incidentes.

EL REY.—*(Sonríe.)* Viva el rey, muera el mal gobierno, ¿no? La fórmula es conocida. Pero yo no te quiero como víctima, Leopoldo. Mis ministros hacen lo que yo mando. Aclamarme mientras se les ataca me ofende: es suponer que soy tonto y no sé elegirlos. Pero tú y yo sabemos que no carezco de cierta inteligencia...

(Ríe y le da un golpecito en el hombro.)

ESQUILACHE.—Vuestra majestad me abruma con sus bondades.

EL REY.—*(Apoya la escopeta contra la pared.)* La medida es justa: debes, pues, lograr que se cumpla. Pero sin violencias, ¿eh? Con toda la dulzura posible.

ESQUILACHE.—Sí, majestad.

EL REY.—Los españoles son como niños... Se quejan cuando se les lava la basura. Pero nosotros les adecentaremos aunque protesten un poco. Y, si podemos, les enseñaremos también un poco de lógica y un poco de piedad, cosas ambas de las que se encuentran bastante escasos. Quizá preferirían un tirano; pero nosotros hemos venido a reformar, no a tiranizar. *(Lo mira fijamente.)* Naturalmente, esa resistencia no es espontánea. La mueven quienes se resisten a todo cambio. Y también, ambiciones aisladas. ¿Me equivoco?

ESQUILACHE.—No, majestad. Sin duda, muchos nobles mueven los hilos.

EL REY.—¿Nombres?

ESQUILACHE.—Confieso mi torpeza... Aún no lo he puesto en claro...

EL REY.—Quizá yo sepa algo más que tú de eso... Bien. Yo volveré a Madrid el veintidós, como de costumbre. Pero tenme informado hasta entonces. *(Saca su saboneta y mira la hora.)* ¿Algo más?

ESQUILACHE.—*(Titubea.)* Confieso a vuestra majestad que estoy terriblemente perplejo... Traía un ruego, muy meditado y muy firme, y ahora no sé si debo hacerlo.

El Rey.—Lo estudiaremos juntos.

Esquilache.—Señor: hace tiempo que me atormenta la evidencia de que la reputación de un ministro debe ser intachable en bien de su propio trabajo. Pero..., vuestra majestad lo sabe... Mi esposa y mis hijos...

El Rey.—¿Cuál es tu ruego?

Esquilache.—*(Resuelto.)* Suplico a vuestra majestad que revoque los cargos que por su real bondad gozan inmerecidamente mis hijos mayores. Y en cuanto a mi esposa..., ruego a vuestra majestad que me permita separarme de ella. Vuestra majestad puede creerme: no existe ya solución mejor.

> *(Baja la cabeza. El Rey lo mira, desciende de las gradas y da un paseíto. Sonríe.)*

[El Rey.—¿Quién es doña Fernandita?

Esquilache.—*(Se sobresalta y va a su lado.)* ¡Reconozco la mano de la marquesa! ¡Juro a vuestra majestad que nos ha calumniado! Es una muchacha de nuestra servidumbre; una criatura limpia y pura que...

El Rey.—¿Estás seguro?

Esquilache.—*(Vacila.)* Señor, yo...

El Rey.—¿La quieres?

Esquilache.—*(Después de un momento.)* Señor, soy un anciano.

El Rey.—Pero ¿la quieres? (Esquilache *baja la cabeza. El* Rey *sonríe y pasea.*)] ¿Sabes por qué eres mi predilecto, Leopoldo? Porque eres un soñador. Los demás se llenan la boca de las grandes palabras y, en el fondo, sólo esconden mezquindad y egoísmo. Tú estás hecho al revés: te ven por fuera como el más astuto y ambicioso, y eres un soñador ingenuo, capaz de los más finos escrúpulos de conciencia.

Esquilache.—Perdón, señor.

El Rey.—¿Perdón? No. España necesita soñadores que sepan de números, como tú... *(Baja la voz.)* Hace tiempo que yo sueño también con una reforma moral, y no sólo con reformas externas. Más adelante, si Dios nos sigue ayudando, te necesito para esa campaña; y si quieres iniciarla tú con un ejemplo de rectitud tan atrevido, te doy desde ahora, en nombre de mi país, las gracias. (ESQUILACHE *se inclina. El* REY *saca su saboneta.*) Un minuto de retraso. *(Va a recoger su escopeta.)* Y el rey debe enseñar también a los españoles la virtud de la puntualidad. *(Suspira y sonríe.)* Y ahora, a fatigarme con la caza. Es una cura que le impongo a mi pobre sangre enferma... Pero en Madrid creerán que lo hago por divertirme. No te preocupes demasiado por lo que de ti digan: ya ves que es inevitable. *(Se lleva levemente la mano al corazón.)* Nuestro juez es otro. *(El* REY *va a salir por la abertura de los tapices.* ESQUILACHE *se arrodilla. El* REY *se vuelve y le envía una penetrante mirada.)* Tienes miedo, ¿verdad?

ESQUILACHE.—Quizá es que estoy viejo, señor.

EL REY.—Dios te guarde, Leopoldo.

> *(Sale.* ESQUILACHE *se levanta despacio y, pensativo, se cala el tricornio: sube las gradas y sale por el mismo sitio. El foco de luz se amortigua hasta desaparecer y una claridad suave, crepuscular, vuelve a la escena. Se oye el lejano pregón del* CIEGO.)

CIEGO.—*(Voz de.)* El Noticioso para hoy, veintidós de marzo... Con todas las ceremonias que se celebrarán en la Pascua de Nuestro Señor...

> *(Entretanto, el giratorio se desliza y presenta el gabinete de* ESQUILACHE. *El marqués, sentado a la mesa, firma con aire cansado documentos que* CAMPOS, *a su lado, recoge. El* MAYORDOMO, *en pie junto a la puerta del fondo.)*

ESQUILACHE.—Firmar y firmar... *(Arroja la pluma.)* A veces me parece como firmar en la arena.

CAMPOS.—Muy cierto, excelencia.

ESQUILACHE.—¡No me dé siempre la razón! ¡Discuta!... *(Se levanta y pasea. Un silencio.)* Y usted, ¿qué hace ahí como un pasmarote?

(SECRETARIO y MAYORDOMO *se miran.*)

MAYORDOMO.—Espero las órdenes de su excelencia para el viaje a San Fernando.

ESQUILACHE.—*(A* CAMPOS.*)* ¿Usía está preparado?

CAMPOS.—Sí, excelencia. Podemos salir cuando lo desee.

ESQUILACHE.—¿Y ese montón de papeluchos?

CAMPOS.—Los enviaré con un ayudante antes de partir.

ESQUILACHE.—¡Hum!... Me ahorraría con gusto la excursión. Pero Grimaldi la concertó hace un mes y no hay medio de convencerle. «Para descansar con los amigos y hablar italiano.» Esa es la tontería que dijo. *Bene. Parleremo il toscano.* (Se para ante CAMPOS.) ¿Qué era lo que tenía que contar?

CAMPOS.—*(Baja la voz.)* Se trata de... doña Fernandita.

(*Un silencio.* ESQUILACHE *saca el reloj. Después, al* MAYORDOMO:)

ESQUILACHE.—Saldremos a las ocho.

MAYORDOMO.—*(Que se las prometía muy felices.)* Bien, excelencia.

(*Y sale, muy serio, después de inclinarse, cerrando.*)

ESQUILACHE.—*(Va a sentarse a un sillón.)* Hable.

CAMPOS.—Ocurrió ayer, muy cerca de aquí. *(Se aproxima.)* Yo pasaba en ese momento.

ESQUILACHE.—*(Glacial.)* Abrevie.

CAMPOS.—Doña Fernandita estaba escuchando a un corrillo de majas y chisperos donde... parece que se hablaba de vuecelencia.

ESQUILACHE.—Donde me estaban poniendo como chupa de dómine, vamos.

CAMPOS.—Algo así... Y doña Fernandita se puso a defenderlo.

ESQUILACHE.—*(Se incorpora.)* Ah, ¿sí?

CAMPOS.—Con tanto ardor que... tuvo que salir corriendo hasta aquí para que no la golpearan.

ESQUILACHE.—*(Se levanta, da unos pasos y lo mira.)* ¿Por qué me ha contado eso, don Antonio?

CAMPOS.—*(Inmutado.)* Me pareció que le agradaría saber...

ESQUILACHE.—*(Con ironía.)* Siempre es grato comprobar la lealtad y la valentía de un servidor. Usía, claro, no llegaría a intervenir...

CAMPOS.—Están los ánimos tan excitados que, en efecto..., no juzgué prudente, en el propio bien de vuecelencia...

ESQUILACHE.—Muy comprensible. ¿Pero a ella si la protegería?

CAMPOS.—¡Por supuesto! La vine siguiendo..., por si le ocurría algo.

(Baja la voz.)

ESQUILACHE.—Ya. *(Golpecitos en el foro.)* ¡Adelante!

(Entra el MAYORDOMO.*)*

MAYORDOMO.—Su excelencia el señor marqués de la Ensenada.

ESQUILACHE.—¡Al fin! *(Sale el* MAYORDOMO. ESQUILACHE *se precipita al foro, al tiempo que entra* ENSE-

NADA, *sin capa ni sombrero. La puerta se cierra.* CAMPOS *se inclina y* ESQUILACHE *estrecha las dos manos de* ENSENADA *con efusión.*) ¡Qué alegría, verte! Don Antonio puede decirte que te he llamado varias veces; pero siempre decían que estabas fuera.

CAMPOS.—Muy cierto, excelencia.

ENSENADA.—He estado en mi finca de Andalucía. Ando en tratos para venderla, ¿sabes? Me empieza a hacer falta algún dinero.

ESQUILACHE.—¿Pero estarás informado de todo lo ocurrido?

ENSENADA.—De nada concreto... En cuanto llegué me han pasado tus recados y me he apresurado a venir.

ESQUILACHE.—¿Será posible que no sepas nada? ¿Las reuniones? ¿Las Ordenanzas?

ENSENADA.—¿De qué hablas?

ESQUILACHE.—Toma asiento. ¿Quiere dejarnos, Campos? (ENSENADA *se sienta junto a la consola.* CAMPOS *recoge la carpeta, se inclina y sale por el foro.* ESQUILACHE *se sienta junto a* ENSENADA.) Ya no hay duda, Zenón. Una conspiración muy hábil y movida por manos muy poderosas.

ENSENADA.—¡Diablo!

ESQUILACHE.—Como los madrileños no paran de chancearse a mi costa, incluso con carnavaladas callejeras que me aluden, quise creer hasta hace poco que todo se resolvería en chistes: en esos chistes con que este país lo termina todo para no arreglar nada... Pero el diecinueve mi Policía me informó de dos reuniones.

ENSENADA.—¿Gente elevada?

ESQUILACHE.—Sí. Una en Madrid y otra... en el propio Pardo.

ENSENADA.—¿Quiénes eran?

ESQUILACHE.—Sin identificar. O acaso me lo callan, porque aquí está empezando ya a fallar todo... De esas juntas han salido las Ordenanzas.

ENSENADA.—¿Qué Ordenanzas?

(Con un gruñido sarcástico, ESQUILACHE *se levanta y va a la mesa.)*

ESQUILACHE.—*(Mientras saca un pliego de una carpeta.)* ¡Hay más cosas! Campomanes me ha escrito un billete muy cauto pero muy revelador, como todo lo que él hace... Ha sabido por confidencias privadas que los ánimos están muy alterados en Zaragoza y en algunos puntos del País Vasco... Dicen allí que en Madrid habrá motín.

ENSENADA.—¿Motín?

(Se levanta.)

ESQUILACHE.—*(Esgrime el papel.)* Aquí lo tienes. Atiende: *(Lee.)* «Constituciones y Ordenanzas que se establecen para un nuevo cuerpo que, en defensa del Rey y de la Patria, ha erigido el amor español para quitar y sacudir la opresión con que intentan violar estos dominios.»

ENSENADA.—¿Me dejas?

*(*ESQUILACHE *le da el pliego.)*

ESQUILACHE.—Son quince puntos...

ENSENADA.—Y muy curiosos...

(Lee.)

ESQUILACHE.—*(Tras él, apunta con el dedo.)* Lee aquí.

ENSENADA.—«Se dará dinero a la gente de mal vivir para que en estos días no cometan excesos.»

ESQUILACHE.—Pactan con la canalla.

ENSENADA.—Mucho dinero van a necesitar...

ESQUILACHE.—¡Corre en abundancia, *caro amico!*
Mira lo que dice aquí: «Cuanto daño se haga, se pagará
sin dilación alguna.»

ENSENADA.—*(Lee.)* «Jurar ante el Santo Sacramento
no descubrirse unos a otros...»

ESQUILACHE.—Muy español, ¿eh? Aquí todo se jura
ante el Santo Sacramento: lo mismo las empresas más
nobles que las más sucias. Tendrían que aprender más
respeto... Sigue leyendo.

ENSENADA.—«Sólo contra dos está permitida toda violencia.»

ESQUILACHE.—Los dos ministros italianos. Grimaldi
y yo.

> *(Un silencio.* ENSENADA *se sienta y sigue re-
> pasando el pliego.)*

ENSENADA.—Pero la calle está tranquila.

ESQUILACHE.—No lo creas. Ahora no sólo protestan
por el bando, sino de que la Junta de Abastos haya
tenido que subir el pan por la sequía.

ENSENADA.—*(Pensativo.)* ¿El pan?

ESQUILACHE.—*Ecco.* La palabra que mejor comprende el humilde. ¡Los que tiran de los hilos saben mucho!
Este pueblo ha tenido hambre durante siglos; pero la
queja por el pan me la tenía que reservar a mí, que he
desterrado el hambre de España.

ENSENADA.—¿Qué dice el rey de todo ello?

ESQUILACHE.—Me sigue recomendando prudencia...
Todas las guarniciones están avisadas, pero con la consigna de no actuar hasta nueva orden. ¿Qué opinas tú?

> *(Pausa.)*

ENSENADA.—Lo que el rey. Prudencia.

ESQUILACHE.—¿Cómo? ¿Pues no me recomendabas
la mano dura?

ENSENADA.—Para cumplir el bando y siempre que

haga falta. Pero ¿hace verdaderamente falta ahora? Esas Ordenanzas describen un levantamiento hipotético, cuya fecha es oscura. Puede quedarse en nada, como tantas otras intentonas. La invencible fuerza del Estado amedrenta mucho.

ESQUILACHE.—*(Sin mirarlo.)* Me quieren matar.

ENSENADA.—*(Sonríe.)* No tanto, Leopoldo.

ESQUILACHE.—¿No lo has leído?

ENSENADA.—*(Se levanta.)* Es lógico que estés intranquilo, pero también en estos trances debes aprender frialdad. El consejo del rey es bueno. *(Le pone las manos en los hombros.)* Créeme: se amenaza con demasiada facilidad.

ESQUILACHE.—*(Suspira.)* Puede que lleves razón. En todo caso, mañana es Domingo de Ramos... Supongo que respetarán la santidad de la Pascua. Hay, por lo menos, una semana de tregua.

(Oscurece.)

ENSENADA.—Me alegro de dejarte algo más tranquilo.

ESQUILACHE.—¿Te vas ya?

ENSENADA.—Tengo un montón de cosas que arreglar después del viaje. (ESQUILACHE *agita dos veces la campanilla.*) Si me entero de algo no dejaré de informarte.

ESQUILACHE.—*(Le toma las manos.)* Gracias, más que nunca, por tu visita. *(Entra el* MAYORDOMO.*)* Acompañe al señor marqués.

MAYORDOMO.—Sí, excelencia. *(Baja la voz.)* Doña Fernandita ruega ser recibida, excelencia.

ESQUILACHE.—¿Ocurre algo?

MAYORDOMO.—Parece muy inquieta...

ESQUILACHE.—Que pase. Dios te guarde, Zenón.

ENSENADA.—Él sea contigo.

(Se inclinan. Sale ENSENADA, *seguido por el* MAYORDOMO. *DOÑA* FERNANDITA *aparece en la puerta y se inclina.)*

ESQUILACHE.—Cierra.

(Ella lo hace.)

FERNANDITA.—Señor...
ESQUILACHE.—¿Te ocurre algo?
FERNANDITA.—¡Señor, tenga mucho cuidado! Vengo de la calle y nunca he visto tantas cuadrillas de embozados. ¡Algo traman!
ESQUILACHE.—*(Sonríe.)* Sí, algo traman...

(Se acerca y le besa la mano.)

FERNANDITA.—¿Qué hace?
ESQUILACHE.—Perdóname. He pensado mal de ti. Pero ahora sé que me has defendido en la calle, sin miedo a la impopularidad ni al peligro.
FERNANDITA.—*(Sonríe.)* Yo soy del pueblo. No me preocupa ser impopular.
ESQUILACHE.—*(La conduce a un sillón y él se sienta en el otro.)* Déjame mirarte con nuevos ojos. ¡Ah! Es maravilloso. Ya no estoy solo. Ya tengo una verdadera amiga.
FERNANDITA.—*(Baja la cabeza.)* Siempre la ha tenido.
ESQUILACHE.—Y me pregunto el porqué. Respeto, gratitud, incluso admiración... Eso se comprende. Pero amistad... Afecto... *(Un silencio.)* Escucha, Fernandita. Si yo fuese un tonto —y todos somos alguna vez muy tontos— empezaría a sentirme halagado sin acordarme de mis años... *(Grave.)* A veces ocurre que a una niña inexperta le deslumbra la grandeza aparente de su señor. ¡No te turbes! Nadie nos escucha y podemos llegar al fondo de los corazones. Por si..., por si tú notaras que empezabas a deslumbrarte..., yo debo recordarte que soy un anciano.
FERNANDITA.—*(Sin mirarlo.)* Yo empecé a pensar mucho en su merced desde un día en que visitó a la señora

marquesa en su gabinete y ella lo trató con mucho despego... Vi a su merced tan abatido, tan solo, que...

ESQUILACHE.—*Certo. (Le toma las manos.)* Desde hace años. *(Melancólico.)* Y ahora, surges tú... *(Se levanta para disimular su turbación y pasea. El gabinete se encuentra ahora en una suave penumbra.)* Ya oscurece... *(Levanta la cabeza.)* Juraría que oigo el pregón... Imaginaciones que me persiguen. *(Recoge de la mesa un folleto.)* Un libro de augurios. ¿Crees tú en esas cosas?

FERNANDITA.—Quizá...

ESQUILACHE.—*(Abre el libro.)* Este hombre predijo la muerte del rey Luis Primero. Escucha lo que presagia este año: «Raras revoluciones que sorprenden los ánimos de muchos. Un magistrado que con sus astucias ascendió a lo alto del valimiento, se estrella desvanecido, en desprecio de aquellos que le incensaban.»

FERNANDITA.—*(Temblando, dice muy quedo.)* ¡No lea eso!

ESQUILACHE.—*(Exaltado.)* «Prepáranse embarcaciones que tendrán venturosos pasajes. Un ministro es depuesto por no haber imitado en la justicia el significado del enigma.»

(Ríe. Ella se levanta, asustada.)

FERNANDITA.—¡Calle, por piedad!

(Rompe a llorar. ESQUILACHE se acerca. Ella se echa en sus brazos.)

ESQUILACHE.—¿Qué nos pasa, Fernandita? ¿Qué ocurre esta noche?...

FERNANDITA.—No lo sé...

ESQUILACHE.—Yo sí. Yo sí lo sé. Somos como niños sumidos en la oscuridad. *(De pronto encienden en el exterior algún farol cercano y su luz ilumina a la pareja por el ventanal.* ESQUILACHE *suspira y se separa suavemente.)* Mira. La oscuridad termina. Dentro de poco lucirán todos los faroles de Madrid. La ciudad más sucia de Europa es ahora la más hermosa gracias a mí. Es imposible que no me lo agradezcan.

(Un FAROLERO *aparece por la segunda derecha. Enciende el farol de la esquina, cruza, enciende el otro farol y sale por la segunda izquierda.* BERNARDO, *embozado, aparece por la primera derecha y se disimula. A poco,* RELAÑO, *embozado, surge tras él y se aposta a su lado. Poco después,* MORÓN, *embozado, aparece por la primera izquierda y se queda espiando. Más tarde los* EMBOZADOS 1.º *y* 2.º *entran por la segunda derecha y se disimulan en el portal. Entretanto, continúa la escena en el gabinete:* ESQUILACHE *deja el «Piscator» sobre la mesa y saca su reloj.)*

FERNANDITA.—¡No se vaya esta noche!

ESQUILACHE.—Tengo que hacerlo... Pero volveré mañana... *(Le toma una mano.)* Fernandita... *(Conmovido.)* Fernandita. *(Ella baja la cabeza. Él reacciona y agita dos veces la campanilla. Entra el* MAYORDOMO.*)* Luces. *(El* MAYORDOMO *se inclina y sale para volver al punto con un candelabro encendido que deposita sobre la mesa.)* A don Antonio Campos, que salimos. Mi capa. Buenas noches, Fernandita...

FERNANDITA.—Que el señor marqués tenga buen viaje.

(Se inclina y sale por el foro, seguida del MAYORDOMO. ESQUILACHE *se queda mirando a la puerta. Luego suspira, va a la mesa, recoge el «Piscator» y lo mira un momento para dejarlo con leve gesto melancólico. Después va al ventanal, ante el que permanece*

*inmóvil con las manos a la espalda. Entre-
tanto, dan las ocho en un reloj lejano. A la
primera campanada,* BERNARDO *da unos pasos hacia el centro, seguido de* RELAÑO. MO-
RÓN *cruza y se les une.* BERNARDO *sisea a los
embozados del portal, que se acercan sigilo-
sos. Todos hablan quedo.)*

BERNARDO.—¿Sabéis ya la consigna contra ese hereje?

EMBOZADO 1.°—Sí. Mañana éste y yo, a las cuatro y
media, en Antón Martín. Allí se nos reunirán otros
treinta para tomar el cuartel de Inválidos.

MORÓN.—¡Chist!... Para una carroza ante el palacio.

*(Los embozados miran hacia la segunda iz-
quierda y permanecen en silencio. La puerta
del fondo se abre y entra el* MAYORDOMO *con
la espada, la capa y el sombrero del marqués.* ESQUILACHE *se ciñe la espada. El* MA-
YORDOMO *le pone la capa y le tiende el tricornio. Entretanto:)*

BERNARDO.—*(A los* EMBOZADOS 1.° *y* 2.°) Vosotros ya
sabéis vuestra obligación. Ojo a los corchetes. *(Disimu-
lándose, los dos* EMBOZADOS *salen por la primera derecha.)* Nosotros tres, mañana a las cinco, aquí con todos
los nuestros.

*(*ESQUILACHE *se pone el tricornio. El* MAYOR-
DOMO *toma el candelabro y va a la puerta.*
ESQUILACHE *sale por el foro seguido del* MA-
YORDOMO, *que cierra.)*

MORÓN.—¿Y si le propináramos un aviso al hereje?

BERNARDO.—¿Qué aviso?

*(*MORÓN *se inclina y se lo susurra a los dos.)*

RELAÑO.—¡Chist! Sale alguien...

   (Los tres atisban.)

BERNARDO.—Yo creo que es el marqués.
RELAÑO.—Ya arranca la carroza.
MORÓN.—¿Lo hacemos? Así se lo encuentra cuando vuelva esta noche.
BERNARDO.—Bueno. *(A* RELAÑO.*)* Tú, al de la vuelta.

   (RELAÑO *sale rápido por la segunda derecha.*
   BERNARDO *y* MORÓN *van al centro de la es-*
   cena y recogen algo del suelo. Tras la ven-
   tana del gabinete de ESQUILACHE, *la luz del*
   farol se apaga. Entonces BERNARDO *y* MORÓN
   miman, uno tras el otro, el ademán de arro-
   jar una piedra. Con secos estallidos, los fa-
   roles de escena se apagan a sus gestos. Os-
   curidad.)

                   TELÓN

PARTE SEGUNDA

Redoble de tambores antes de alzarse el telón, que se aleja y se pierde a los pocos segundos de levantado.

(Oscurece. En los hierros del balcón de DOÑA MARÍA, *la palma del Domingo de Ramos. Asomadas al balcón,* DOÑA MARÍA *y la* CLAUDIA. *En el giratorio, el gabinete de* ESQUILACHE. *Caídos en el suelo, el cuadro de Mengs, el reloj de la consola, uno de los sillones. Todos los cristales del ventanal, rotos. Las carpetas, la escribanía, todo cuanto ocupaba la mesa, desparramado asimismo por el piso. La puerta del fondo, entreabierta. Sentado a la mesa,* RELAÑO, *que ha dejado en ella su sombrero, su capa y un pistolón. Ante él un plato con comida del que se sirve y una botella de la que bebe. Sobre la consola hay más vituallas. En el fondo, con aire a* ̶ *morizado,* DOÑA EMILIA, *azafata de edad mediana. Sentada en un sillón, con aire ausente y mal peinada,* FERNANDITA. *Unos momentos de silencio, hasta que cesan los tambores.)*

CLAUDIA.—Me gustaría bajar a la calle.

DOÑA MARÍA.—Ya has oído lo que han dicho: las mujeres, en sus casas.

CLAUDIA.—Pues como mañana siga el jaleo, no nos vamos a estar quietas.

DOÑA MARÍA.—Eres tú muy fuguillas. Con lo ricamente que se ve todo desde aquí.

CLAUDIA.—Hace una hora que no pasa nada.

DOÑA MARÍA.—Pero no te quejarás del teatro que hemos tenido.

RELAÑO.—¿No hay postre?

(DOÑA EMILIA *va a la consola y le lleva una fuente de dulces, de los que él empieza a comer.* FERNANDITA *no se ha movido.*)

DOÑA MARÍA.—Está refrescando... Vamos adentro.

CLAUDIA.—Espere... Todavía no han retirado a ése de la puerta del palacio.

DOÑA MARÍA.—Yo no lo distingo. Mis ojos están ya viejos.

CLAUDIA.—Pues está. ¿Se fijó usté en cómo salían todos? Comiendo y fumando y con cestos enteros de botellas.

DOÑA MARÍA.—Estaba la casa llena de las rapiñas de ese ladrón.

CLAUDIA.—*(Misteriosa.)* ¿Y se fijó usté en unos... que parecían mandar más que los otros?

DOÑA MARÍA.—No...

CLAUDIA.—Sí, señora. Iban embozados, pero se les notaban las medias finas y la camisa de encaje.

DOÑA MARÍA.—Hay muchos misterios en este mundo... ¡Mujer, que me estoy helando!

CLAUDIA.—Espere... Ya no hace frío...

DOÑA MARÍA.—¡Qué espere, ni espere! Bien me sé yo el come come que tú tienes... *(La empuja.)* Adentro, adentro.

CLAUDIA.—Sí, señora.

(*Entra, sumisa, con* DOÑA MARÍA. *Se cierra el balcón.* RELAÑO *emite un satisfecho resoplido y aparta la fuente. Elige un largo y*

fino cigarro puro de un montón que hay so-
bre la mesa.)

RELAÑO.—¡Candela! (DOÑA EMILIA *sale por el foro.*
RELAÑO *mira a* FERNANDITA *y ríe.)* Vamos, niña... No
hay que tomarlo tan a pecho...

> *(Ella se estremece y no contesta. Él se en-*
> *coge de hombros y se arrellana en el sillón,*
> *con el cigarro en la boca. No tarda en po-*
> *ner los pies sobre la mesa: tiene sueño y se*
> *adormila a los pocos instantes, cayéndosele*
> *el cigarro de la boca. Entretanto, aparece*
> *por la primera derecha* ESQUILACHE, *embo-*
> *zado en su capa, y tras él* CAMPOS, *visible-*
> *mente atemorizado. Se mueven y hablan con*
> *sigilo.)*

CAMPOS.—¡Es una temeridad, excelencia!...
ESQUILACHE.—¡Chist!
CAMPOS.—¡Aquí sólo puede encontrar ya lo peor!

> (ESQUILACHE *da unos pasos.* CAMPOS *lo re-*
> *tiene.)*

ESQUILACHE.—¿Qué hace?
CAMPOS.—¡Vuélvase! ¡Es por su bien!
ESQUILACHE.—*(Lo mira de arriba a abajo.)* Vaya a la
carroza.
CAMPOS.—Pero...
ESQUILACHE.—¡Vuélvase a la carroza!

> (CAMPOS *se santigua y sale por donde entró.*
> ESQUILACHE *mira a todos lados; luego hacia*
> *su palacio. Entretanto,* DOÑA EMILIA *vuelve*
> *con una pajuela encendida y se acerca a*

Relaño. *Al ver que está dormido apaga la pajuela y se aproxima a* Fernandita, *poniéndole una mano en el hombro.*)

Doña Emilia.—Váyase con su madrina, doña Fernandita.

Fernandita.—No. (Doña Emilia *suspira y va a salir.*) ¿Qué hacen los otros?

Doña Emilia.—(*Por* Relaño.) Lo que éste.

Fernandita.—¿Sigue Julián en el portal?

Doña Emilia.—Claro que sí.

(*Suspira.*)

Fernandita.—(*Se levanta.*) Ayúdeme a retirarlo de allí, doña Emilia.

(*Tiene un vahído.* Doña Emilia *acude a sostenerla.*)

Doña Emilia.—¿Está loca?

Fernandita.—(*Se sobrepone.*) Ayúdeme.

(*Sale por el fondo, seguida de* Doña Emilia, *que mueve la cabeza con pesar.* Esquilache *se decide y da unos pasos para cruzar. De pronto, se detiene... Se oye el tap-tap de un garrote. Por la segunda izquierda entra el* Ciego, *que cruza. Muy cerca de* Esquilache, *se detiene, pues nota su presencia. Éste lo mira fijamente. El* Ciego *reanuda su marcha, gana la esquina, tantea la pared con el garrote y sale por la primera derecha bajo la aprensiva mirada de* Esquilache. *Entretanto, el giratorio se desliza y presenta el ángulo de las dos puertas. Ante ellas, derribado en el suelo, el cadáver ensangrentado de un mozo. Cuando* Esquilache *se vuelve está frente a su casa. Mira al caído con tristeza. Siente que la puerta se abre y se disimula en el ángulo de la derecha. Por la puerta de ese lado salen* Fernandita *y* Doña Emilia. Fernandita *va a la cabeza del muerto y trata de levantarlo por los sobacos.* Doña Emilia *se dirige a los pies.* Esquilache *avanza, con un dedo en los labios.* Fernandita *da un suspiro de susto y se echa a llorar.* Doña Emilia *se vuelve y lo reconoce.)*

Doña Emilia.—¡No entre, señor! ¡Todavía hay hombres en la casa!

Esquilache.—*(Por el muerto.)* ¿Quién es?

Doña Emilia.—Julián, el mozo de mulas.

Esquilache.—¿Vive?

Doña Emilia.—Hizo resistencia y lo han matado. Al portero lo han llevado malherido al hospital. Ahora ya pasó todo, pero aún hay peligro... ¡Qué horror, señor! ¡Eran miles! Toda la calle llena. La mayor parte del servicio se ha ido, pero aún quedamos unos cuantos.

Esquilache.—¿Y mi mujer?

Doña Emilia.—Se fue después del almuerzo a Las Delicias... No sabemos más.

(Se oyen «vivas» y «mueras» lejanos.)

Esquilache.—*(Por el muerto.)* ¿Qué iban a hacer?

Doña Emilia.—Llevarlo adentro.

Esquilache.—De nada le servirá ya.

Doña Emilia.—Se empeñó ella, señor... Dígale que se vaya de aquí. Nosotras podemos quedarnos todavía, pero ella no podría resistirlo.

Esquilache.—Ven conmigo, Fernandita.

(Fernandita se echa en sus brazos sollozando. Gritos lejanos.)

DOÑA EMILIA.—¡Dense prisa! *(Va a entrar.)* ¡Y que
Dios les proteja!

> *(Se mete y cierra. FERNANDITA está mirando
> al caído con inmenso terror. Él la insta a
> caminar, suavemente.)*

FERNANDITA.—¿Por qué ha venido, señor?
ESQUILACHE.—*(Dulce.)* Por ti...

> *(El giratorio se desliza y presenta de nuevo
> el gabinete de ESQUILACHE, donde RELAÑO
> duerme. ESQUILACHE y FERNANDITA dan unos
> pasos y se detienen al oír gritos cercanos:
> «¡Viva el rey!», «¡Muera Esquilache!», que
> son coreados. Intentan huir por la izquierda
> pero no les da tiempo: por la segunda dere-
> cha aparecen MORÓN y los TRES EMBOZA-
> DOS, ahora sin capa. Vienen armados: pisto-
> las al cinto, un trabuco, algún fusil de la
> infantería. FERNANDITA se apretuja contra
> ESQUILACHE.)*

MORÓN.—¡Alto! *(Se acerca a la pareja seguido de los
otros mientras dice:)* ¿A dónde va todavía con tres can-
diles? ¡Deme acá el sombrero! (ESQUILACHE *se lo tiende
y él lo despunta brutalmente, devolviéndoselo.)* ¡Así!
¡Como los buenos españoles! Y ahora, grite usía con
nosotros: ¡Viva el rey! (ESQUILACHE *permanece callado.
El balcón se abre y salen* DOÑA MARÍA *y la* CLAUDIA)
¡Vamos, grite!
ESQUILACHE.—*(Con un ardor amargo.)* ¡Viva!...
MORÓN.—¡Viva la Patria!
ESQUILACHE.—¡Viva!...
MORÓN.—¡Muera Esquilache!

> (ESQUILACHE *calla.)*

DOÑA MARÍA.—*(Haciéndose pantalla con las manos.)*
Yo juraría...

CLAUDIA.—¿Qué?

DOÑA MARÍA.—No es posible. ¡Veo tan mal!

MORÓN.—*(Se ha ido acercando al marqués con muy
mala cara.)* ¡Que grite usía muera Esquilache!

ESQUILACHE.—*(Después de un momento.)* Esquilache
es un anciano como yo. Él morirá antes que todos vosotros, que sois jóvenes, aunque yo no grite.

MORÓN.—Todo eso está muy bien. Pero ahora grite
usía: ¡Muera Esquilache!

(ESQUILACHE *calla*.)

DOÑA MARÍA.—¿No es ésa doña Fernandita?

CLAUDIA.—Creo que sí...

(DOÑA MARÍA *se pasa, nerviosa, la mano por
la boca.*)

MORÓN.—*(Furioso.)* ¿Conque no grita?

EMBOZADO 3.º—Déjalo ya. Es un viejo y estás asus-
tando a la niña.

MORÓN.—¡No quiere gritar!

EMBOZADO 3.º—¡Y qué! No vas a apiolar a todo el que
no quiera. Sólo contra dos está permitido: ya lo sabes.

MORÓN.—¡Me parece que ya han caído más de dos!
(Amenazador.) ¡Y en cuanto a ti!. .

EMBOZADO 3.º—*(Se crece y lo achica.)* ¡Es un viejo!
(A ESQUILACHE.) Vaya usía en paz.

(ESQUILACHE ý FERNANDITA *cruzan y salen
por la primera derecha, bajo la intrigada mirada de las mujeres.*)

DOÑA MARÍA.—Oiga, mocito: ese caballero se parece
muchísimo al marqués de Esquilache.

MORÓN.—*(Ríe.)* No me haga reír, abuela. Aquí iba a venir.

EMBOZADO 1.º—Como si fuera tonto.

(Todos ríen.)

DOÑA MARÍA.—Pues yo le he visto muchas veces... y diría que es él.

EMBOZADO 2.º—¿A pie y por la calle? No son tan valientes los italianinis.

CLAUDIA.—Pues la niña era de su servidumbre.

(Un silencio. Se miran.)

MORÓN.—¿Tendrá razón la vieja? *(Corre al lateral.)* Ya no se les ve.

EMBOZADO 1.º—Fantasías de mujeres.

EMBOZADO 2.º—¡Mira por ese lado, que es caza más segura!

MORÓN.—*(Se vuelve.)* ¿Eh? *(Ve a quienes llegan.)* Mira... Dios nos los envía.

EMBOZADO 2.º—Estos son los que recortaban capas en el barrio.

(El EMBOZADO 1.º *se frota las manos con alegría.)*

EMBOZADO 3.º—Los mismos. Pero no olviden las Ordenanzas, ¿eh? Nada de violencias.

MORÓN.—¿Y lo dices tú, que te apalearon?

EMBOZADO 3.º—*(Orgulloso.)* ¡Por eso mismo!

EMBOZADO 1.º—¡Se van!

MORÓN.—*(Se vuelve.)* ¡Eh, no se vuelvan, que no les trae cuenta! ¡Aquí!... Eso es.

(Aparecen, inmutados, CRISANTO y ROQUE. *Los* EMBOZADOS *los rodean.)*

CRISANTO.—Cuide lo que hace, mozo...

> *(Echa mano a la espada. Los* EMBOZADOS *elevan sus armas.)*

MORÓN.—Cálmese usía. Aquí todos somos españoles y sólo sobran los extranjeros...

EMBOZADO 2.º—Y lo extranjero.

MORÓN.—Eso. Conque traigan sus mercedes los sombreros. (ROQUE *se apresura a entregar el suyo.*) Así me gusta.

> *(Lo despunta y se lo devuelve.)*

EMBOZADO 3.º—*(A* CRISANTO.) ¡Traiga acá!

> *(Le quita el tricornio y se lo despunta. Las mujeres ríen.)*

MORÓN.—Y ahora, a gritar: ¡Viva el rey!

CRISANTO.—¡Viva!

ROQUE.—*(Con ardor.)* ¡Viva!

MORÓN.—¡Muera Esquilache!

ROQUE.—¡Muera!

> (CRISANTO *calla.*)

MORÓN.—Otro gallo que no canta... (*Al* EMBOZADO 3.º) ¿También vas a decir que porque es viejo?

ROQUE.—¡Es que le ha pillado de sorpresa! (*Codazo a* CRISANTO.) ¡Grita, Crisanto! Sus mercedes pueden creernos: también nosotros odiamos a ese extranjero, a ese hereje. *(Y grita estentóreo:)* ¡Muera Esquilache!

EMBOZADO 3.º—*(Ríe.)* ¡Bravo! ¡Éste lo hace muy bien por los dos!

> *(Carcajadas.)*

MORÓN.—*(Los empuja.)* Vayan con Dios.

EMBOZADO 1.º—*(Tirando de la capa de* ROQUE.) ¡Y prueben a estirarse esas capitas, que son muy cortas!

EMBOZADO 3.º—¡Al sastre! ¡Al sastre!

(CRISANTO y ROQUE *salen, entre la burla general, por la primera derecha.*)

MORÓN.—¡Y ahora, a la cárcel de la Villa!

CLAUDIA.—*(Sobresaltada.)* ¿A la cárcel de la Villa?

MORÓN.—Estamos citados allí más de doscientos para libertar a los presos. A las de la Galera las hemos soltado hace una hora.

CLAUDIA.—¡Mujeres por las calles, doña María! ¡Y ahora sueltan a mi Pedro! ¡Aguárdenme, que bajo!

(Se mete.)

DOÑA MARÍA.—*(Tras ella.)* ¡Estás loca! ¿No comprendes que...?

(Se mete.)

EMBOZADO 2.º—¿La esperamos?

MORÓN.—Más bulto hará.

EMBOZADO 2.º—Ya estarán allí otras en espera de sus hombres.

MORÓN.—De lo que yo me alegro de veras, ¿eh? Porque es lo que yo digo: la calle sin mozas no resulta divertida.

(*Sale desalada del portal la* CLAUDIA. DOÑA MARÍA *se asoma al balcón.*)

EMBOZADO 1.º—Aquí la tenemos.

EMBOZADO 2.º—¡Olé las mozas con redaños!

CLAUDIA.—¡Vamos allá!

(Van a ponerse en marcha.)

Doña María.—¿Adónde vas, arrastrada? ¡Conmigo estás mejor, olvídale! (*La* Claudia *da unos pasos con los* Embozados.) ¡Claudia!

Claudia.—*(Airada.)* ¿Qué quiere?

Doña María.—Te puede costar caro cuando él se entere de todo... ¡Piénsalo!

Claudia.—*(Vomita las palabras.)* ¡Vieja sucia!... ¡Que me pegue si quiere! ¡Mil veces lo prefiero a seguir con usté! ¡Ahí se queda y que el diablo se lo aumente! *(Escupe con asco. Ofendida,* Doña María *se mete y cierra el balcón de golpe.)* ¡Vamos!

> *(Entre rumores de «Ha estado buena la moza», «Entera»... etc., salen todos por la segunda izquierda. Breve pausa.* Bernardo *aparece por la primera derecha, mira hacia el fondo y sale por la segunda derecha rápidamente.)*

Bernardo.—*(Voz de.)* ¡Relaño! (Relaño *se despabila con trabajo.)* ¡Relaño! ¿Sigue usté ahí?

> (Relaño *se levanta y va al ventanal.)*

Relaño.—¿Qué hay?

Bernardo.—*(Voz de.)* El hereje no habrá vuelto, claro.

Relaño.—¡Qué va!

Bernardo.—*(Voz de.)* ¿No había por ahí un retrato suyo?

Relaño.—*(Vistazo a la habitación.)* Aquí está todavía...

Bernardo.—*(Voz de.)* Pues tráigalo corriendo a la plaza Mayor.

> *(Reaparece, rápido.)*

RELAÑO.—¿A la plaza Mayor? ¿Para qué?
BERNARDO.—¡Allí lo verá!

(*Y sale apresuradamente por donde entró.
RELAÑO va a la mesa, se pone la capa y el
sombrero y se guarda el pistolón, mientras
bebe su último vaso de vino. Luego recoge
del suelo el retrato y lo mira con un gruñido de sorna. Cargado con él, sale por el
foro. A poco, reaparece por la segunda izquierda llevando el retrato del marqués y
cruza para salir corriendo por la primera
derecha. Entretanto, el giratorio se desliza
y presenta el gabinete del Palacio Real, solitario. Oscurece en el primer término, al
tiempo que se hace la luz en el gabinete.
La puerta del fondo se abre y entra ESQUI-
LACHE, seguido de FERNANDITA, que permanece a respetuosa distancia. ESQUILACHE considera fríamente la habitación y se despoja
de la capa, que deja, con el sombrero despuntado que no llegó a ponerse, sobre una
silla. Luego llega al centro de la sala y se
queda pensativo. Entra* CAMPOS.)

ESQUILACHE.—(*Sin moverse.*) ¿A dónde da ese
balcón?
CAMPOS.—A la plaza de la Armería, excelencia.
ESQUILACHE.—¿Y esa puerta?

(CAMPOS *cruza hacia la derecha y la abre.*)

CAMPOS.—A otro gabinete. Al fondo, una alcoba.

(*Cierra. Un silencio.*)

ESQUILACHE.—Hay que avisar esta misma noche al
Consejo de Guerra para que se reúna aquí a las siete de

la mañana. Y al de Hacienda, para las nueve. Todos los secretarios de ambos despachos deberán venir igualmente: tenemos que organizar aquí el trabajo. Hable con el aposentador de Palacio para que nos destinen habitaciones al efecto.

CAMPOS.—Sí, excelencia.

ESQUILACHE.—Hay que llamar también a todos mis ayudantes. Cumpla inmediatamente mis órdenes.

CAMPOS.—Sí, excelencia.

(Cruza para salir. Un ademán del marqués lo detiene. ESQUILACHE *se vuelve lentamente y mira a* FERNANDITA, *que baja sus ojos.)*

ESQUILACHE.—Pero antes, don Antonio..., presente a doña Fernandita al sumiller de cocinas. No quiero nada con el servicio de la casa: ella debe encargarse de atenderme en todo.

CAMPOS.—Una precaución muy oportuna, excelencia.

*(*ESQUILACHE *lo mira, asombrado. Al fin comprende y sonríe con ironía.)*

ESQUILACHE.—Usía piensa siempre en todo. Aquí también tengo enemigos, en efecto. Que dispongan una habitación para ella en los altos del Palacio.

CAMPOS.—Bien, excelencia.

(La puerta del fondo se abre y entra un LACAYO *de librea.)*

LACAYO.—¡Su majestad el rey!

(Entra CARLOS III, *destocado. Los tres se arrodillan. El* REY *mira con recatada curiosidad a* FERNANDITA *y a* CAMPOS, *y los despide con un ademán. Ellos se levantan, hacen*

la reverencia y salen con el LACAYO. *La
puerta se cierra. El* REY *llega junto a* ES-
QUILACHE *y lo alza, reteniéndolo un momento por los brazos.)*

EL REY.—¿Sano y salvo?

ESQUILACHE.—Gracias a Dios, señor.

EL REY.—¿Tus familiares?

ESQUILACHE.—Nada sé de ellos, señor. Mis hijos...,
supongo que llegarán a Madrid de un momento a otro.
Mis hijas, en las Salesas.

EL REY.—¿Doña Pastora?

ESQUILACHE.—Fue a Las Delicias después del almuerzo. No sé más.

EL REY.—De eso me ocuparé yo. No te inquietes. *(Se
sienta en una de las sillas del primer término.)* Bien. Ya
tenemos aquí el anunciado motín. Ha sido providencial
que estuvieses fuera. Han saqueado tu casa pero sin
llevarse nada de valor. Parece que había quienes vigi-
laban eso. Han desistido de quemarla porque pertenece
al marqués de Murillo. Después han ido a la de Grimaldi, pero allí se han limitado a apedrear los cristales...
Y luego, a la de otra persona, a vitorearla.

ESQUILACHE.—No sé nada, señor...

EL REY.—*(Sonríe.)* Ya, ya lo veo. Pero no te preocupes. Yo he trabajado en tu ausencia. *(Grave.)* Siéntate.
Noto que sufres ese dolor tuyo y que lo disimulas por
respeto.

ESQUILACHE.—*(Agotado.)* Con vuestra venia, señor.

(Se sienta en la otra silla.)

EL REY.—Han estado aquí también, con sus consabi-
dos «vivas» y «mueras». Querían verme... Suplicarme.
Pero yo me he negado a verlos: no quiero entrar en ese
juego sin tenerte a mi lado. ¿Qué opinas tú?

ESQUILACHE.—No sé qué decir, señor.

EL REY.—Lo diré yo por ti. Hasta ahora hemos sido prudentes. Pero hay una noticia que... nos obligaría a reconsiderar el asunto.

ESQUILACHE.—¿Cuál, señor?

EL REY.—Disturbios en Zaragoza.

ESQUILACHE.—¡Gran Dios!

EL REY.—Debemos estudiar fríamente si, ante una oposición tan flagrante a la autoridad real, no habrá que emplear, y de inmediato, la mano dura.

ESQUILACHE.—He citado aquí para mañana al Consejo de Guerra.

EL REY.—Luego eres partidario de aplastar sin contemplaciones la revuelta. *(Un silencio.)* ¿No es así?

ESQUILACHE.—Perdón, señor... En este momento no sabría responder nada.

EL REY.—Estás enfermo... Mañana lo decidiremos todo. Entretanto, nos mantendremos muy unidos. Pero con mucha reserva...

ESQUILACHE.—¿Es que he perdido la confianza de vuestra majestad?

EL REY.—*(Suspira.)* La reserva es necesaria porque... tampoco en Palacio podemos confiar. *(Baja la voz.)* Ni siquiera, lo sabes, en mi augusta madre... *(Mira al suelo.)* Hoy he comprendido lo solos que estamos. Somos nosotros los conspiradores contra una mayoría... *(Calla un momento. Se levanta.* ESQUILACHE *trata de hacerlo también y él lo detiene.)* Permanece sentado. Lo necesitas.

ESQUILACHE.—*(Se levanta.)* No, no, majestad. Ya ha pasado.

EL REY.—Te designaré inmediatamente un mayordomo. Echaré mano de quien pueda, porque mis mejores gentileshombres están ya muy ocupados... Me ha costado bastante poner hoy un poco de orden aquí. Bien. No desesperemos. *(Saca su saboneta y la mira.)* Tengo mucho que hacer. Te dejo.

ESQUILACHE.—Puedo ayudaros, señor...

EL REY.—No. Tú descansa y tranquilízate. A mí todavía me aclaman... Es contra ti contra quien van, pero aquí no van a poder hacerte nada.

(Se encamina al foro.)

ESQUILACHE.—Señor... (El REY se vuelve.) Señor...

(Se le quiebra la voz de gratitud y va a besarle la mano, muy conmovido.)

EL REY.—(Le pone la mano en el hombro.) Descansa. (ESQUILACHE se precipita a abrirle la puerta. Antes de salir, El REY repara en el sombrero de ESQUILACHE y lo levanta.) ¿Cómo? ¿También te lo han despuntado?
ESQUILACHE.—(Baja los ojos.) Bajé un momento de la carroza, señor.
EL REY.—(Afectuoso.) Loco...

(Sale, y ESQUILACHE se arrodilla. Se levanta y se queda perplejo. Mira a todos lados y siente el peso de su soledad. Con la respiración entrecortada, va al foro y tira de la campanilla. Una pausa. Tira otra, y otra vez, mirando a la puerta más y más nervioso. Golpecitos en la puerta.)

ESQUILACHE.—¡Sí! ¡Sí, adelante! (Entra FERNANDITA.) ¿No hay nadie en mi antecámara?
FERNANDITA.—Nadie, señor.
ESQUILACHE.—(Con angustia.) ¿Ni siquiera un criado?
FERNANDITA.—Yo sola, señor. (ESQUILACHE va a la mesita y se sienta, sombrío, en una de las sillas.) ¿Quiere que le prepare algo?
ESQUILACHE.—No, gracias. Nada por esta noche. (La mira.) Pero tú sí debes reparar tus fuerzas...

FERNANDITA.—No se preocupe su merced… Ya tomaré algo.

(ESQUILACHE *se levanta, nervioso, y va al balcón.*)

ESQUILACHE.—Ya es de noche… Y muy oscura… Madrid no brilla como otras veces. *(Se vuelve. Ella no se ha movido: está ensimismada, con una expresión dolorosa en su rostro. Él se acerca.)* Soy un egoísta… Sólo pienso en mí y tú estás destrozada. *(Ella lo mira, temerosa, pero no ve en su cara nada especial, y baja los ojos. Él la obliga a sentarse en el sillón que hay ante la mesa.)* Le querías, ¿verdad?

FERNANDITA.—*(Con un grito de alimaña asustada que desconcierta a* ESQUILACHE.*)* ¿A quién?

ESQUILACHE.—*(Recostándose sobre la mesa.)* A… ese mozo que ha caído por defender mi casa… A Julián…

FERNANDITA.—*(Casi no se la oye.)* No…

(Y deniega, en silencio, varias veces.)

ESQUILACHE.—*Allora…* La mala impresión, *¿è vero?*… Pero tú eres muy entera… *Molto brava*… ¿Le querías? *(*FERNANDITA *estalla en sollozos y deniega otra vez.)* ¡Criatura! ¿Qué te ocurre? *(Golpecitos en la puerta.* ESQUILACHE *se incorpora y dice con otra voz:)* Cálmate ahora. *(Ella procura calmarse, se seca con los dedos alguna lágrima. Nuevos golpecitos. Ella se levanta y corre a refugiarse en el aposento de la derecha.)* ¡Adelante! *(Entra el* DUQUE DE VILLASANTA. ESQUILACHE *retrocede instintivamente.)* ¿Qué desea?

VILLASANTA.—Todo lo que a usía se le ofrezca… He sido designado por su majestad para ponerme a las órdenes de usía en funciones de mayordomo mientras permanezca en Palacio.

ESQUILACHE.—*(Con asombro y disgusto.)* ¿Usía?

VILLASANTA.—Era el único gentilhombre que quedaba

libre. Deploro lo que pueda tener de humillante la elección para usía... Y me permito hacerle notar que la humillación es mutua.

ESQUILACHE.—Está bien. Dígnese retirarse.

VILLASANTA.—*(Con un leve tono de reto.)* Estoy a las órdenes de usía para cuanto necesite, incluso si es información. Información veraz, por supuesto. ¿Desea saber las últimas novedades?

ESQUILACHE.—*(Acepta el reto.)* ¿Por qué no? Dígalas.

VILLASANTA.—El pueblo ha destrozado los cinco mil faroles que usía mandó instalar. En la plaza Mayor han encendido una gran hoguera... donde sólo queman cuadros y otras cosas, claro.

ESQUILACHE.—Le felicito, duque... Los madrileños vuelven por sus fueros: impunidad, insania y basura. Ahora puede retirarse.

(Reverencia del duque, correspondida por el marqués, que se queda mirando a la puerta cuando VILLASANTA *sale. La luz baja, hasta desaparece casi totalmente. Poco antes,* DOÑA MARÍA *se asoma a su balcón con un perol de desperdicios y otea a una y otra parte.)*

DOÑA MARÍA.—¡Agua va!

(Tira el contenido del perol a la calle y cierra. «Mueras» y «vivas» lejanos animan la noche y van aumentando de intensidad conforme vuelve, lentamente, la luz diurna. Con la misma lentitud pasa de la segunda derecha a la segunda izquierda, como si fuese él quien trajese el nuevo día, el CIEGO. *La luz vuelve también al gabinete, donde* ESQUILACHE, *sin espada y sentado ahora a la mesa, escribe.* CAMPOS, *de pie, al lado de la mesa.* FERNANDITA, *de pie, junto al balcón. En la*

*mesita, un servicio de chocolate. Se oye la
airada voz de* ESQUILACHE *antes de que la
luz vuelva del todo.)*

ESQUILACHE.—¡Ya sé que gritan «muera Esquilache»!

CAMPOS.—También dan «vivas», excelencia.

ESQUILACHE.—¿Y ésas son todas las noticias que
me trae?

CAMPOS.—Hago lo que puedo, excelencia.

ESQUILACHE.—Lo que puede, ¿eh?... *(Termina de
escribir y arroja la pluma.)* ¿Por qué no ha habido manera de reunir esta mañana al Consejo de Guerra? ¿Por
qué han venido sólo dos consejeros de Hacienda?

CAMPOS.—No puedo asegurar que a todos les llegara
el aviso, excelencia.

ESQUILACHE.—¡Ah! ¿No puede asegurar...?

CAMPOS.—Excelencia, yo...

ESQUILACHE.—*(Se levanta.)* ¡No me interrumpa! Usía
no cumplió mis órdenes. Si no puede asegurar que llega-
ron los recados es que no se ha cerciorado de si fueron cumplidos, lo cual es otra falta. Pero ¿para qué cer-
ciorarse? Era tan difícil ayer encontrar en mi antecámara oficiales que obedeciesen... *Allora,* la falta empezó
ayer: no me lo niegue. Justificó el encargo con unas
pocas llamadas y hoy no me puede asegurar que los demás fuesen avisados. *¡È chiaro!* ¡Qué va a poder asegurar!

(Va a la mesita para servirse una jícara.
FERNANDITA *se adelanta y se la lleva.)*

CAMPOS.—Excelencia...

ESQUILACHE.—¡Don Antonio! Soy un ministro de su
majestad. Le advierto lealmente que su falta de celo es,
por lo menos, prematura. Esos revoltosos que piden mi
muerte en la calle van a saber todavía quién es Esquilache. Dentro de unos minutos se reunirá el Consejo Real
y allí haré aprobar medidas decisivas. ¡Acabo de redac-

tarlas! ¡Aprenderán a andar derechos por la fuerza y si
hay que barrerlos a cañonazos, es preferible no vacilar!
Y los servidores que cumplan mal con su deber, también
tendrán que sentir. ¿O es que usía cree que he caído
en desgracia?

(*Bebe de su taza.*)

CAMPOS.—Aseguro a vuecelencia que en ningún momento he pensado...

ESQUILACHE.—¡Míreme a los ojos! ¡Ah!... ¡Le cuesta
trabajo!... (*Su voz cambia: se hace más reflexiva.*) Le
cuesta trabajo. (*Golpecitos en la puerta.*) ¡Adelante!

(*Entra* VILLASANTA.)

VILLASANTA.—Debo informar a usía de que la expla-
nada de Palacio se ha llenado de paisanos armados.
Quieren entrar aquí (*Señala al balcón*), en la plaza de ar-
mas, pero la infantería valona ha acordonado el Arco
de la Armería y lo impide.

ESQUILACHE.—¿Se sabe qué quieren?

VILLASANTA.—Ver al rey.

ESQUILACHE.—Gracias. Téngame al corriente de cuanto suceda. (VILLASANTA *se inclina y sale, cerrando.*) ¡Y
usía también, don Antonio! Ya se ve que sobran noticias. Salga y muévase.

(*Le interrumpen dos tiros lejanos.* FERNAN-
DITA *gime y corre al balcón.* ESQUILACHE
deja la taza y va tras ella.)

FERNANDITA.—No se ve nada...

ESQUILACHE.—(*Se vuelve.*) ¿Qué espera? Ya ve que
las novedades se suceden.

CAMPOS.—Ahora mismo, excelencia. Pero antes... permítame vuecelencia hacerle notar respetuosamente una cosa. (ESQUILACHE *se acerca, intrigado.*) No es la primera vez que vuecelencia censura con dureza mis supuestos errores... delante de criados.

(ESQUILACHE *eleva las cejas, irritado.*)

FERNANDITA.—Si el señor marqués me permite retirarme...

ESQUILACHE.—*(Se calma súbitamente e interrumpe con un gesto a* FERNANDITA.) ¿Y qué más?

CAMPOS.—Soy un hidalgo español. No me gusta que se falte a mi dignidad de ese modo.

ESQUILACHE.—*(Muy tranquilo.)* Y claro: es su hidalguía la que le obliga a hacerme esa observación, ¿no?

CAMPOS.—Con todo respeto.

ESQUILACHE.—*(Llega a su lado.)* ¿Y por qué su hidalguía no le obligó a hablar la primera vez que ocurrió? *(Un silencio.)* O la segunda. *(Un silencio.* CAMPOS *baja los ojos.* ESQUILACHE *sonríe con amargura.)* ¡O la tercera!... ¿Por qué ha esperado a hoy precisamente para decírmelo?... (CAMPOS *baja la cabeza.)* Salga, don Antonio. Y procure estar cerca cuando le llame. (CAMPOS *sale y cierra.)* ¡Mascalzone! *(Vuelve a la mesita para beber otro sorbo. Se sienta, melancólico.)* Me pregunto si tengo derecho a hacerte compartir todas estas amarguras...

FERNANDITA.—*(Suspira.)* El rey lo llamará en seguida... Ya lo verá. Y en el Consejo Real lo arreglará todo...

ESQUILACHE.—No... He escrito durante toda la mañana... Pero a ti no puedo mentirte. Lo hacía para no pensar en la terrible evidencia de que todos... me abandonan.

FERNANDITA.—Tome algo más, señor... Ha comido muy poco este mediodía...

ESQUILACHE.—*(Deniega.)* Ahora no podría. *(Otro tiro. Se miran, sobresaltados.)* ¿Qué va a ocurrir, Fernandita? ¿Qué nos va a ocurrir a los dos? *(Golpecitos en la puerta.* ESQUILACHE *se levanta.)* ¡Adelante! *(Entra* VILLASANTA.*)* ¿Qué sucede ahora?

VILLASANTA.—*(Cierra la puerta.)* Muchas cosas, marqués. *(Cruza hacia el balcón.)* En primer lugar, debo obtener su palabra de que no se asomará a este balcón.

ESQUILACHE.—¿Por qué?

VILLASANTA.—Podría ser peligroso. (ESQUILACHE *va a abrir el balcón.*) ¡Marqués, no debe abrirlo! ¡Hay orden de que nadie se asome a esta fachada! En este momento su majestad ocupa el balcón central con su confesor y varios gentileshombres.

ESQUILACHE.—¿El rey? ¿Qué hace?

VILLASANTA.—Contesta a una delegación.

ESQUILACHE.—¿A una delegación? *(Sube al poyete y trata de atisbar tras los cristales.* VILLASANTA *pone rápidamente su mano sobre la falleba.)* ¡No voy a abrir, duque!

VILLASANTA.—¿Ni siquiera cuando me retire?

ESQUILACHE.—¿Tan necesario es?

VILLASANTA.—Si no me da su palabra, me veré obligado a poner aquí dos soldados de la guardia.

ESQUILACHE.—¡Qué!

VILLASANTA.—¿Tengo o no tengo su palabra?

ESQUILACHE.—*(Baja iracundo del poyete y pasea.)* ¡La tiene! Y ahora, explíquese. (FERNANDITA *sube al poyete y trata de ver algo, muy nerviosa.)* ¿Qué delegación es ésa?

VILLASANTA.—Gente del pueblo. Se les ha dejado entrar desarmados. Era la única forma de lograr una tregua.

ESQUILACHE.—¿Una tregua?

VILLASANTA.—Las cosas empeoran, marqués. Ahí fuera un valón ha matado a una mujer y a él lo han arrastrado. En la plaza Mayor se acaba de librar un encuentro sangriento entre el pueblo y el piquete de valones que estaba de guardia allí. Los amotinados los han apedreado con las piedras apiladas para la nueva pavimentación... (ESQUILACHE *se muerde los labios*.) Luego se han cruzado tiros. El pueblo ha logrado dispersarlos y ha cogido a tres o cuatro... que también han muerto bárbaramente.

ESQUILACHE.—¡Inaudito!

VILLASANTA.—No olvide que el pueblo odia a los valones desde que cargaron contra la multitud en los esponsales del príncipe de Asturias. Hubo varios muertos...

ESQUILACHE.—Fue un accidente deplorable.

VILLASANTA.—Los valones que acaban de morir también son... accidentes deplorables.

ESQUILACHE.—¿Qué pide esa delegación?

VILLASANTA.—Lo ignoro. Para mayor garantía del rey, venía con ellos un fraile de San Gil que ha subido a entregarle las peticiones. (ESQUILACHE *va al foro y tira nerviosamente del cordón de la campanilla*.) ¿Puedo saber a quién llama usía?

ESQUILACHE.—A mi secretario.

VILLASANTA.—No está en la antecámara.

ESQUILACHE.—Que se le busque.

VILLASANTA.—Me temo que no esté en Palacio...

ESQUILACHE.—¿Que sabe usía?

VILLASANTA.—Juzgo por lo que dijo cuando salió de aquí.

ESQUILACHE.—Ah, ¿sí?... ¿Qué dijo?

VILLASANTA.—No sé si debo repetirlo.

ESQUILACHE.—*(Ruge.)* ¿Usía es o no es mi mayordomo?

VILLASANTA.—Dijo que... ya había soportado bastante los malos modales de un extranjero advenedizo y que sabía muy bien a quién tenía que ofrecer ahora sus servicios.

(Un silencio. ESQUILACHE *se apoya en la mesa.)*

FERNANDITA.—Parece que se oyen vivas…

(VILLASANTA *sube al poyete y mira.*)

VILLASANTA.—Los delegados salen de la plaza.

ESQUILACHE.—Una pregunta, duque. ¿Me equivoco si supongo que en este momento hay soldados en mi antecámara?

VILLASANTA.—*(Baja los ojos.)* Han sido puestos para velar por la seguridad de usía.

ESQUILACHE.—*(Sonríe con amargura.)* ¡De modo que estoy prisionero!

VILLASANTA.—Custodiado solamente, marqués.

(*Baja del poyete y se acerca a la puerta.*)

ESQUILACHE.—*(Se interpone y le aferra por un brazo.)* ¿Está seguro de no excederse en sus atribuciones?

VILLASANTA.—*(Se suelta.)* ¡No me toque!

ESQUILACHE.—¡No ha respondido a mi pregunta!

VILLASANTA.—¡Sólo cumplo órdenes!

ESQUILACHE.—*(No se fía.)* Ya. Así que no soy un prisionero. De modo que si ahora quiero salir de aquí para ver al rey…

VILLASANTA.—No comprende la situación, marqués. Es el rey quien ruega al marqués de Esquilache que aguarde aquí su visita.

ESQUILACHE.—*(Rojo.)* ¡Eso es mentira!

VILLASANTA.—*(Palidece.)* Ese insulto no quedaría impune en otra ocasión. (ESQUILACHE, *muy alterado, va hacia la puerta y empuña el pomo.*) ¡No le dejarán salir, Esquilache! (ESQUILACHE *lo mira con un principio de temor en los ojos.*) ¡Es el rey quien lo ordena y no yo, marqués! ¡Lo juro por mi honor!

(ESQUILACHE *retrocede, sintiendo que el temor le crece, sin dejar de mirarlo.*)

ESQUILACHE.—*(Jadea.) Allora...* le ordeno que vea al rey en mi nombre... y le diga... que solicito respetuosamente la inmediata reunión del Consejo Real.

VILLASANTA.—*(Baja la cabeza.)* Es un ruego tardío, marqués.

ESQUILACHE.—¿Tardío?

VILLASANTA.—El rey se reunió con el Consejo Real hace media hora.

ESQUILACHE.—*(Trastornado.)* ¿Sin mí?

VILLASANTA.—Lo ha interrumpido sólo para salir al balcón.

ESQUILACHE.—*(En voz queda.)* Sin mí... *(Avanza para sentarse pesadamente junto a la mesita.)* ¿Por qué no me lo dijo hace media hora, duque?

(Se vuelve para mirarlo al ver que no contesta.)

VILLASANTA.—No soy tan cruel como usía cree.

ESQUILACHE.—Cuando el enemigo ha caído ya. ¿No era eso lo que pensaba añadir? *Ecco.* Yo ya era un caído, aunque me obstinase en engañarme. Los demás ven nuestro destino antes que nosotros. (VILLASANTA *se inclina en silencio y sale, cerrando.)* Si es uno de los jefes de la conspiración, me tiene entre sus garras. Si no ha mentido, el rey me ha abandonado. Ya no sé qué pensar. *(Mira a* FERNANDITA.*)* No debí traerte. Hay agonías que un hombre debe pasar solo.

FERNANDITA.—*(Sin mirarlo.)* Hay agonías tan terribles que nunca se debieran pasar en soledad. Cuando se sufren, es mejor tener a nuestro lado al más pobre, al más desvalido de los seres, con tal de que tenga un poco de piedad.

(Lo ha dicho pensando en sí misma; pero ESQUILACHE *se siente bruscamente quebrado por sus palabras y estalla en un sollozo. Para disimular sus lágrimas, para luchar contra*

*ese destructor sentimiento de autocompasión
que le atenaza, se levanta y va hacia la derecha, tragando, jadeando, intentando en
vano retener el llanto.* FERNANDITA *corre a
su lado.* ESQUILACHE *habla de espaldas, rehuyendo los tímidos contactos que ella, en su
angustia, osa; se vuelve a uno y otro lado
para que ella no vea sus mejillas mojadas. El
diálogo se hace entrecortado, confuso: dos
grandes desgracias se buscan a ciegas a su
través.)*

ESQUILACHE.—Una vida perdida...

FERNANDITA.—Perdóneme... No debí decir nada...

ESQUILACHE.—Prisionero del rey...

FERNANDITA.—Aún no se ha perdido todo...

ESQUILACHE.—Del rey...

FERNANDITA.—Confíe...

ESQUILACHE.—Creí que era mi amigo y me sacrifica...

FERNANDITA.—Es necesario confiar...

ESQUILACHE.—Pero sobre todo, me engaña...

FERNANDITA.—Aunque el dolor nos desgarre las entrañas...

ESQUILACHE.—Todo es ingratitud...

FERNANDITA.—Señor...

ESQUILACHE.—Ya sólo tengo al lado a ese pobre ser
humano, al más desvalido de todos, al único que aún
sabe apiadarse... A ti... Tú... Tú...

FERNANDITA.—*(En voz baja.)* ¡Dios mío!

ESQUILACHE.—*(Se vuelve de improviso y escucha, afe-
rrándole una muñeca.)* Calla. ¿No oyes?

(Los dos miran hacia el balcón.)

FERNANDITA.—Parecen gritos.

ESQUILACHE.—Aclamaciones. Dan vivas a alguien.

FERNANDITA.—Y además... Ese fragor...
ESQUILACHE.—Es como el sonido del mar.

(FERNANDITA *corre al balcón, mira y se vuelve.*)

FERNANDITA.—El pueblo está llenando la plaza... Ha debido de romper el cordón de soldados.

ESQUILACHE.—Los delegados les habrán transmitido las promesas del rey... y no les habrán parecido suficientes.

FERNANDITA.—*(Vuelve a mirar.)* Se acercan... (ESQUILACHE *llega al balcón para mirar también.* FERNANDITA *se pone a observar algo, de repente, con enorme sorpresa.*) ¡Pero...! *(Se vuelve descompuesta, con la mano en los labios y ahoga un gemido. Trastornada, histérica, dice:)* Él... Es él... Es él... Él...

ESQUILACHE.—¿Quién?

FERNANDITA.—Ése... El que va delante... Él...

(ESQUILACHE *mira. Ella solloza y se refugia en sus brazos.*)

ESQUILACHE.—Pero ¿quién es él?

FERNANDITA.—*(Presa de una tremenda crisis.)* ¡Mató a Julián! ¡Lo mató delante de mí por defenderme!...

(*A* ESQUILACHE *le agranda los ojos una súbita sorpresa.*)

ESQUILACHE.—¿Por defenderte? (*La baja a viva fuerza del poyete mientras ella sigue musitando, con ojos extraviados:* «Él... Él...») ¿Por defenderte de quién?

FERNANDITA.—¡De él!

ESQUILACHE.—¿Lo conoces?

FERNANDITA.—¡Sí!...

ESQUILACHE.—*(Horrorizado, la aprieta contra sí.)* Fernandita...

FERNANDITA.—¡No puedo más!...

(Se desprende y corre hacia la derecha, pero él la retiene por una muñeca.)

ESQUILACHE.—¡Fernandita!

(Ella se detiene, con los ojos, bajos, turbadísima.)

FERNANDITA.—No puedo más...

ESQUILACHE.—*(Suelta su mano.)* ¿Quién es?

FERNANDITA.—*(Muy bajo.)* Bernardo. Un calesero.

ESQUILACHE.—¿Te perseguía?

FERNANDITA.—Sí.

ESQUILACHE.—*(Muerde la palabra en un rapto de desesperación.)* ¡Fernandita!

(La atrae hacia sí y la abraza con fuerza.)

FERNANDITA.—¡Se encerró conmigo! ¡Yo gritaba, pero toda la casa era un puro grito!... A Julián lo arrastraron después a la puerta... Querían llevarlo por las calles, pero allí lo dejaron, y yo... Yo...

(Llora desconsoladamente.)

ESQUILACHE.—¡Y no poder vengarte! *(Crispa una de sus manos.)* En esta mano estaba el Poder de España y ahora está vacía... ¡Dios mío, dame el Poder de nuevo!

FERNANDITA.—*(Se desprende y retrocede.)* ¡No soy digna de piedad! ¡Yo también soy despreciable, porque sé que al final... no he resistido!

ESQUILACHE.—¿Que no has resistido?... ¿Le querías? *(Ella asiente levísimamente.)* ¡Le querías!...

FERNANDITA.—He tratado de olvidarlo, de aborrecerlo.
Él representa toda la torpeza y toda la brutalidad que
odio. ¡Es como el que mató a mi padre! ¡Y yo he querido salir de esa noche, de ese horror... y no puedo! ¡Yo
he querido curarme con un poco de luz, con un poco de
piedad! ¡Huir hacia su merced y hacia todo lo que su
merced representaba! ¡Huir de ese infierno de mi in-
fancia aterrorizada y asqueada por el asesinato! ¡Y no
puedo!...

(Estalla en sollozos.)

ESQUILACHE.—*(Musita.)* ¡Dios mío!
FERNANDITA.—Intenté olvidarle con Julián. Pero no
era posible... Y al fin... me pareció que un sentimiento
nuevo y más grande me llenaba las entrañas... Una ternura nueva, limpia..., hacia un anciano bondadoso, triste, solitario... Y esa ternura no ha cesado... Pero ¿qué
puede contra este demonio que me habita? (ESQUILACHE
suspira.) Y ahora está ahí, abajo. Es el enemigo de los
dos. ¡Viene por los dos!... ¡Y nos vencerá!
ESQUILACHE.—*(Se acerca.)* Escucha, hija mía...
FERNANDITA.—¡No me toque! *(Retrocede.)* ¡No me
diga nada! Todo está perdido y yo... ¡no puedo más!
*(Se vuelve y llega, rápida, a la puerta de la derecha, que
abre.)* ¡No puedo más!

(Sale.)

ESQUILACHE.—*(Tras ella.)* ¡Fernandita!

> *(Se detiene ante la puerta en el mismo ins-
> tante en que la del fondo se abre sin ruido.
> El* REY CARLOS III *entra y cierra.* ESQUILA-
> CHE *oye algo y se vuelve. Vuelve a mirar al
> aposento de la derecha y cierra la puerta.
> Después se arrodilla. El* REY *avanza.)*

EL REY.—Levanta, Leopoldo. Tenemos poco tiempo. (ESQUILACHE *se levanta. El* REY *llega a la mesita: observa el servicio del chocolate y luego levanta sus ojos para mirar a la puerta de la derecha.* ESQUILACHE *no lo pierde de vista.*) Bien... Te supongo al corriente de todo. Desde aquí habrás visto y habrás oído.

ESQUILACHE.—Muy poco, señor. Vuestra majestad prohibió, al parecer, que me asomara.

EL REY.—Corrías peligro. ¿No has oído las peticiones?

ESQUILACHE.—Sólo un rumor sordo, señor.

EL REY.—¿Ni siquiera las aclamaciones?

ESQUILACHE.—Pero las supongo. El pueblo aclama siempre a su rey.

EL REY.—*(Enigmático.)* No sólo a mí.

ESQUILACHE.—Nada he oído, señor. Pero sé lo bastante. Sé, por ejemplo, que vuestra majestad ha reunido al Consejo Real...

EL REY.—Acaba de terminar y por eso vengo.

ESQUILACHE.—*(Inclina la cabeza.)* Aguardo vuestra decisión, señor.

EL REY.—¿Mi decisión? *(Una pausa.)* No, Leopoldo. Yo vengo a que decidas tú.

ESQUILACHE.—*(No cree lo que oye.)* ¿Yo?

EL REY.—Comprendo... Has llegado a creer que te abandonaba. Pero ¿cuándo he abandonado yo a mis amigos? No podía citarte a un Consejo donde el principal asunto eras tú y en un momento en que todo el aire de Palacio está envenenado contra ti... Pero nada se ha acordado y nada acordaré sin ti.

(ESQUILACHE *se precipita a besar su mano.*)

ESQUILACHE.—He llegado a creerme prisionero de vuestra majestad.

(*El* REY *elude, suave, el comentario y va a sentarse junto a la mesita.*)

EL REY.—*(Le indica la otra silla.)* Así estaremos más cómodos. (ESQUILACHE *se sienta.*) Y ahora, escucha. Arcos, Gazola y Priego recomiendan restablecer con toda dureza la autoridad real. Sarriá, Oñate y Revilla-gigedo abogan por acceder a las peticiones de los amotinados, aunque alguno de ellos reconoce la necesidad de castigar después a los inductores. El pueblo espera abajo la decisión definitiva. ¿Qué dices tú?

ESQUILACHE.—*(Se levanta, con una nueva luz en los ojos.)* ¿Vuestra majestad me confiere toda mi autoridad?

EL REY.—Nunca la has perdido.

> (ESQUILACHE, *nervioso, va a la mesa del fondo y recoge el papel donde escribió, volviendo con él.)*

ESQUILACHE.—Señor: he redactado una exposición de medidas urgentes que...

EL REY.—*(Le interrumpe con un ademán.)* Un momento. *(Le señala una silla y* ESQUILACHE *vuelve a sentarse.)* Antes de que pronuncies una palabra, conviene que conozcas la situación en todo su alcance. En uno de los platillos de la balanza estás tú... Bueno, y otras pocas cosas; la supresión de la Junta de Abastos, la salida de la Corte de la infantería valona, que el pueblo vista según su costumbre...

ESQUILACHE.—¿Y Grimaldi?

EL REY.—De ése ya no hablan. En el fondo, va contra ti todo. Piden...

ESQUILACHE.—No me lo diga vuestra majestad. Presumo lo peor: un proceso, con jueces elegidos entre mis enemigos, del que pueda salir, incluso... la prisión.

EL REY.—*(Lo mira curiosamente.)* Bien. Pongamos que es lo peor.

ESQUILACHE.—¿Y en el otro platillo de la balanza?

EL REY.—*(Baja la voz y se inclina hacia él.)* Se han recibido más noticias. No sólo Zaragoza y las Vas-

congadas, sino Valencia, Murcia, Cartagena, Valladolid,
Salamanca, están alborotadas. (ESQUILACHE *mira al papel que conserva en las manos.*) En el otro platillo de la
balanza está la subversión contra todo lo que hemos
traído, la terca ceguera de un país infinitamente menos
adelantado que sus gobernantes... La necesidad, tal vez,
de defender todo eso a sangre y fuego antes de que lo
destruyan... Pero con el riesgo, con la seguridad casi, que
nos traen esas noticias, de una guerra fratricida.

(*Un silencio.*)

ESQUILACHE.—¿Puedo preguntar a vuestra majestad
de qué lado se inclina en su ánimo la balanza?

EL REY.—(*Se levanta, y* ESQUILACHE *también.*) Por
primera vez estoy perplejo... (*Pasea.*) Los dos caminos
son igualmente malos. Por eso he decidido confiar en tu
inteligencia y en tu corazón. (*Se para y lo mira.*) Tú
decides.

ESQUILACHE.—Así, pues, he llegado al momento su-
premo de mi vida. Debo elegir, y elegir bien... De un
lado, la fuerza. O sea, mi continuidad personal, por lo
pronto... (*Se enardece.*) La ocasión de devolver golpe
por golpe, de atrapar y fusilar a los traidores, de vengar
atropellos repugnantes..., de imponer, sí, de imponer lo
bueno a quienes no quieren lo bueno... Y de seguir mol-
deando a esta bella España, y de dar un poco de luz y
de alegría... (*Mira a la puerta de la derecha.*) a algunos
corazones angustiados que la merecen... La vida, de
nuevo. Con sus luchas, sus riesgos, su calor... (*Grave.*)
Y también, el fuego. El infierno en la Tierra, y ahora
por mi mano. Cincuenta muertos en Madrid no son nada.
Caerán a miles por las llanuras... Una mujer forzada
es un gran dolor, pero la guerra lo multiplica... España
entera, roja de sangre. Esa misma plaza, dentro de unos
minutos, barrida por la fusilería... La política. Y ahora,
desnuda, en su más crudo aspecto. El Poder, pero cues-

te lo que cueste… *(Suspira.)* Sí. Sería una hermosa embriaguez. Mandar de nuevo… Restituir, todavía, la sonrisa a un rostro amado…

(Calla.)

EL REY.—*(Que ha dirigido una grave mirada a la puerta de la derecha.)* ¿Y bien?

ESQUILACHE.—Vuestra majestad debe aceptar todas las peticiones de los rebeldes para evitar la guerra.

(Rompe el papel que tomó y deja los trozos sobre la mesita.)

EL REY.—*(Conmovido.)* Ven aquí. (ESQUILACHE *se acerca y El* REY *lo abraza con los ojos húmedos. Luego se desprende y va hacia el foro. Se detiene.)* No habrá prisión para ti. Ni proceso. No piden tanto.

ESQUILACHE.—¿Qué piden?

EL REY.—Tu destierro, con toda tu familia. (ESQUILACHE *baja la cabeza. El* REY *se acerca y le habla en tono confidencial.)* Esta noche saldré con la familia real para Aranjuez. No volveré hasta que este pueblo díscolo no me dé completas muestras de su pacificación. Tú me acompañarás… Mañana haré ir allí a tu mujer y a tus hijos.

ESQUILACHE.—¿Dónde se encuentra mi mujer?

EL REY.—*(Suspira.)* Estaba en la Legación de Holanda. (ESQUILACHE *baja la cabeza.)* He mandado que se traslade a las Salesas y que aguarde allí mis órdenes. Ya no te separarás de ella… Ahora sería inútil.

ESQUILACHE.—*(Que asiente, amargo.)* Así que todo se ha perdido…

EL REY.—Acaso. Pero yo no dejaré por eso de seguir probando a que comprendan… *(Le pone una mano en el hombro.)* ¿Hemos soñado, Leopoldo? ¿Hay un pueblo ahí abajo?

ESQUILACHE.—Hemos hecho lo que debíamos.

EL REY.—*(Se aparta unos pasos.)* No volverás a Madrid. Saldrás de Aranjuez para Cartagena y allí embarcarás para tu patria. Irás bien guardado.

ESQUILACHE.—Como un preso...

EL REY.—Para que nada te suceda.

ESQUILACHE.—Sé muy bien que mi calvario no ha terminado. Será un viaje de insultos y de infamia.

(Un silencio.)

EL REY.—Olvidaba una cosa. *(Saca de la manga de su casaca un pliego sellado.)* Muchas veces me has rogado a favor de Ensenada. Le he llamado a Palacio, y he dado orden de que lo conduzcan aquí en cuanto llegue. Dale esto en mi nombre: será tu último acto de Gobierno.

ESQUILACHE.—Gracias también en su nombre, señor.

(Toma el pliego. El REY va, rápido, al foro. Con la mano en el pomo de la puerta se vuelve.)

EL REY.—Me duele sacrificarte.

ESQUILACHE.—La decisión ha sido mía, señor. Y más dolorosa de lo que vuestra majestad supone.

EL REY.—Lo comprendo.

ESQUILACHE.—No se trata del Poder, señor.

EL REY.—Sé muy bien que no se trata del Poder... *(Baja los ojos.)* Si... puedo hacer algo por esa criatura..., *(Tímido movimiento de cabeza hacia la otra puerta.)* pídemelo.

ESQUILACHE.—*(Se le quiebra la voz, cae de rodillas.)* ¡Gracias, señor! *(El REY sale. ESQUILACHE se incorpora, mira al pliego y lo deja sobre la mesa, al tiempo que dice con melancolía:)* «Prepáranse embarcaciones que

tendrán venturosos pasajes… *(Marcha hacia la puerta
de la derecha.)* Un ministro es depuesto por no haber
imitado en la justicia el significado del enigma.» *(Golpecitos en el foro.* ESQUILACHE *suspira y reacciona.)* ¡Adelante!

(*Entra* VILLASANTA.)

VILLASANTA.—El señor marqués de la Ensenada.
ESQUILACHE.—Que pase.

(VILLASANTA *vacila.*)

VILLASANTA.—Creo que debo informar a usía de una
particularidad… extraña.
ESQUILACHE.—¿Y es?
VILLASANTA.—El secretario de usía acompaña al señor marqués de la Ensenada.

(ESQUILACHE *alza las cejas, sorprendido; después baja, sombrío, la cabeza.*)

ESQUILACHE.—Que entre el señor marqués. (VILLA-
SANTA *se inclina y va a salir. La voz de* ESQUILACHE *lo
detiene en la puerta.)* Un momento… *(Mira hacia el
balcón.)* Todos han callado… *(Sube al poyete y mira.)*
Es que el rey sale al balcón. *(Una pausa. Aclamaciones
entusiastas al rey en el exterior.)* Le aclaman… *(Se vuelve con una amarga sonrisa hacia* VILLASANTA.) Les acaba
de decir que seré desterrado. (VILLASANTA *desvía la mirada.)* Pero no importa. Ahora sé que he vencido. (VI-
LLASANTA *lo mira, sorprendido. Él sonríe.)* Usía no comprende, claro. Usía no me comprenderá nunca. *(Se repiten las aclamaciones.* ESQUILACHE *vuelve a mirar a la
plaza.)* Todo ha terminado… Empiezan a replegarse
hacia la salida. *(Desciende lentamente del poyete. Un*

silencio. Suspira, melancólico.) Haga pasar al señor marqués.

> (VILLASANTA *se inclina y sale. Entra* ENSE-
> NADA, *con capa y el sombrero en la mano.
> Una banda azul le cruza el pecho; dos placas
> adornan su casaca. La puerta se cierra.* EN-
> SENADA *va al encuentro de* ESQUILACHE *y le
> estrecha las manos.)*

ENSENADA.—Siento verdaderamente lo ocurrido.

ESQUILACHE.—*(Sonríe.)* Poco importa, si te llaman a ti.

ENSENADA.—Tal vez no me creas. Quizá supongas que me alegro de...

ESQUILACHE.—¿Por qué no iba a creerte?

ENSENADA.—Lo que me sorprende es que me hayan conducido a tu presencia.

ESQUILACHE.—Su majestad lo ha dispuesto así y me felicito por ello. *(Va a la mesa y toma el pliego.)* Toma. No sé si vienes a sustituirme o a algún otro puesto. Sea lo que sea, me alegro de haberlo conseguido al fin. (EN-SENADA *toma el pliego.)* Nuestro amo y señor tarda en madurar las cosas: pero ya ves como no se equivoca. *(Grave.)* No te equivoques tú en adelante.

ENSENADA.—Lo procuraré.

ESQUILACHE.—*(Desvía la mirada.)* Lo digo por... mi secretario, a quien acabas de admitir. Es un falso.

ENSENADA.—Como la mayoría. *(Deja el sombrero sobre la mesa.)* ¿Me permites?

> (ENSENADA *rompe el sello y lee la orden. No
> puede evitar un sobresalto. Enrojece y mira
> a* ESQUILACHE *con rencor.)*

ENSENADA.—Sencillamente perfecto. Sobre todo, ahora que me quedé sin dinero para poder pagar a toda esa canalla.

ESQUILACHE.—¿Cómo?

ENSENADA.—*(Fuera de sí.)* La jugada es tuya, ¿verdad? ¡Me admiras!

ESQUILACHE.—¿Qué jugada?

ENSENADA.—¡Vamos, italiano! Basta de fingimientos. Sabes de sobra que el rey me destierra a Medina del Campo.

ESQUILACHE.—*(Después de un momento.)* ¿Que te destierra...? *(Le arrebata el papel y lee.)* No dice por qué.

(ENSENADA *le quita el papel y se aparta.*)

ENSENADA.—*(Desdeñoso.)* Sabes muy bien por qué.

ESQUILACHE.—*(Que no deja de mirarlo fijamente.)* No, no lo sabía... Pero estoy empezando a comprenderlo... *(En tanto se abalanza al cordón de la campanilla y tira:)* Y me parece tan increíble, que...

(ENSENADA *se guarda la orden en el bolsillo y lo mira, suspicaz.*)

ENSENADA.—¿De verdad no sabías?...

(*Entra* VILLASANTA.)

ESQUILACHE.—Duque: después de asaltar mi casa, las turbas fueron a la de otra persona para vitorearla. ¿Puede decirme qué persona?

VILLASANTA.—*(Sonríe con malicia.)* El señor marqués de la Ensenada.

ESQUILACHE.—Hoy han aclamado también a alguien ante estos balcones. ¿Era a la misma persona?

VILLASANTA.—A la misma.

ESQUILACHE.—Gracias.

(VILLASANTA *sale y cierra.*)

ENSENADA.—*(Sin mirarlo.)* Te equivocas si crees que he sido el único en mover todo esto.

ESQUILACHE.—Basta con que hayas sido uno de ellos. *(Se acerca.)* Pero ¿cómo es posible que tú, uno de los hombres más grandes que hoy tiene España, hayas podido pactar con nuestros enemigos? Y sobre todo: ¿qué te he hecho yo, di?

ENSENADA.—*(Amargo.)* ¿Y lo preguntas?

ESQUILACHE.—¡Yo era tu amigo!

ENSENADA.—*(Irónico.)* Sí... Un amigo que me suplanta en el Gobierno del país y en el favor real, valiendo mucho menos que yo. Porque tú vales menos que yo, Leopoldo. ¡Yo empecé todo esto! Y tú te has limitado a continuarlo..., trabajando incansablemente, sí; pero con bastante mediocridad. Tú, un extranjero, le quitas el puesto al marqués de la Ensenada. ¡Era ridículo!... E intolerable.

ESQUILACHE.—Pero era el rey quien...

ENSENADA.—¡Vamos, Esquilache! No pretendas hacerme creer que intercediste por mí. Nadie se busca competidores peligrosos y tú no ibas a ser el primero. Para ti era más cómodo aceptar mis consejos manteniéndome en la sombra, y eso es lo que hiciste.

(Va hacia el balcón, entristecido.)

ESQUILACHE.—*(Se recuesta en la mesa.)* ¡Reconozco el estilo del rey! El hombre por cuya causa me destierran, tiene que sufrir la humillación de ser desterrado por mi mano. Para mí, una reparación completa. Pero no es sólo eso: él nos enfrenta para ofrecernos una silenciosa y formidable lección.

ENSENADA.—*(Se vuelve.)* ¿Qué lección?

ESQUILACHE.—Nos enfrenta para compararnos. Yo me comparo contigo y comprendo.

ENSENADA.—¿El qué?

ESQUILACHE.—Tienes razón. Valgo menos que tú.

Y sin embargo, soy más grande que tú. ¡El hombre más insignificante es más grande que tú si vive para algo que no sea él mismo! Desde hace veinte años tú ya no crees en nada. Y estás perdido.

ENSENADA.—¿Y en qué podemos creer nosotros, los que trabajábamos para el pueblo? Ya ves que no hay pueblo. La tragedia del gobernante es descubrirlo.

ESQUILACHE.—¡Buen pretexto para la mala política! Pero ellos podrían decir lo contrario: que su tragedia es ver cómo al más grande político le pierde la ambición.

ENSENADA.—¿Quiénes van a decir eso, iluso? ¿Los que piden tu cabeza ahí fuera?

(ESQUILACHE *lo mira largamente. Después va a la derecha y abre la puerta.*)

ESQUILACHE.—Fernandita... (ENSENADA *se yergue, desconcertado.* FERNANDITA *entra, mira a los dos y se inclina ante* ENSENADA.) No le saludes... No merece tanto.

ENSENADA.—¿Quién es esa mujer?

ESQUILACHE.—*(Mientras la conduce a la mesita.)* Nadie importante: una muchacha de mi servicio. Una insignificante mujer... del pueblo. (ENSENADA *va a la mesa. Recoge su sombrero y se encamina a la puerta.* ESQUILACHE *ruge:*) ¡Quieto! *(Corre a su lado, le arrebata el sombrero y lo tira sobre la mesa.)* ¡Me sobran fuerzas para retenerte! *(Lo empuja lenta, pero enérgicamente, hacia el sillón que hay ante la mesa.)* Siéntate.

ENSENADA.—¿Delante de una criada?

ESQUILACHE.—Una criada que puede juzgarnos a los dos. ¡No temas! Lo hará en silencio. Desde ayer no habla mucho.

(*Le obliga a sentarse.*)

FERNANDITA.—*(Suplicante.)* ¡Señor!

ESQUILACHE.—Siéntate también, Fernandita... Lo que voy a decir, tú debes oírlo. (FERNANDITA *se sienta a la izquierda. A* ENSENADA.) Mírala... Hasta ayer mismo estaba con nuestra obra. Nos admiraba. Quizá desde hoy no comprenda ya nada, cuando sepa que tú, que el gran Ensenada, sublevó a Madrid contra Esquilache. (FERNANDITA *levanta la cabeza, desconcertada.*) ¿Lo ves? No le cabe en la cabeza. Pensará: Si entre ellos riñen, ¿en qué se puede creer ya? No advierte que puede creer en lo más grande, en lo que yo creo: en ella misma.

ENSENADA.—¡Esto es intolerable!

ESQUILACHE.—¿Intolerable? ¿Qué podría ella decirte a ti? Ella, que sufrió el asalto de mi casa, que ha visto a tus asesinos matar a un pobre mozo que la quería, que...

FERNANDITA.—*(Asustada.)* ¡Señor!

ESQUILACHE.—*(Exaltado.)* ¡Sabe mucho de tus primeras víctimas! ¡Ha tenido que soportar el horror de...!

FERNANDITA.—*(Se levanta.)* ¡Señor, por caridad, calle!

(ENSENADA *empieza a incorporarse también, mirándola, impresionado a su pesar.*)

ESQUILACHE.—*(Después de un momento.)* ... El horror de ver como... a otra azafata..., a una entrañable amiga suya, la forzaban. *(Un silencio.* FERNANDITA *llora.* ENSENADA, *de pie, la mira muy turbado: ha comprendido.* ESQUILACHE *se acerca a* ENSENADA.) ¿Te desagrada tu obra?... (ENSENADA *desvía la vista.*) Pero eso no es nada al lado de lo que iba a ser: tú has conspirado fríamente para encender el infierno en toda España. Por fortuna, yo lo he apagado.

(FERNANDITA *lo mira, sorprendida, y atiende con emoción a sus palabras.*)

ENSENADA.—¿Tú?

ESQUILACHE.—*(Se enardece.)* ¡No eres tú quien me destierra, Ensenada, sino yo mismo! ¡Una sola palabra mía y el infierno de la guerra habría ardido! Pero yo no he dicho esa palabra. Al teniente general, al ministro de la Guerra Esquilache, no le gusta la guerra, ni la crueldad... Abomina del infierno en la Tierra... Y decide no aumentar el sufrimiento *(Mira a* FERNANDITA.*)* de esa pobre carne triste, ultrajada..., de los de abajo, que todo lo soportan.

ENSENADA.—*(Hosco.)* Déjame salir.

ESQUILACHE.—¡Puedes hacerlo! *(Se acerca a* FERNANDITA *y le rodea los hombros con su brazo.)* Nosotros dos, que valemos menos que tú, te condenamos. El pueblo te condena.

ENSENADA.—¿El pueblo?

ESQUILACHE.—Nací plebeyo, Ensenada... Fui y soy como ella. Tú dices: nunca comprenderán. Nosotros decimos: todavía no comprenden.

ENSENADA.—¡Deliras! ¡Sueñas!

ESQUILACHE.—Tal vez. Pero ahora sé una cosa: que ningún gobernante puede dejar de corromperse si no sueña ese sueño. *(Con un repentino cansancio que le abate,* ENSENADA *toma su sombrero y se encamina, cabizbajo, al foro.* ESQUILACHE *recita, lento, unas curiosas palabras:)* «Un personaje bien visto de la plebe no se rehúsa de entrar en un negocio por el bien del público; pero le cuesta entrar en el significado del enigma.» *(*ENSENADA *se vuelve desde la puerta, asombrado.* ESQUILACHE *le dedica una inquietante sonrisa.)* Son palabras del Piscator de Villarroel. Te estaban destinadas. Pídele a Campos que te lo adquiera, antes de que también te deje solo.

ENSENADA.—¿Estás loco?

ESQUILACHE.—¡Envidia también mi locura, Ensenada! ¡Y vete! Ella te ha juzgado ya. *(*ENSENADA *dirige una triste mirada a* FERNANDITA, *que le vuelve la espalda. Sintiéndose repentinamente viejo, sale. Una pausa.)* Ese ciego insignificante llevaba el destino en sus manos. Nada sabemos. Tan ciegos como él, todos... (*Se acerca y le toma las manos a* FERNANDITA.) ¡Ayúdame tú a ver!

FERNANDITA.—Yo también estoy ciega.

ESQUILACHE.—Tú puedes juzgarnos a todos, y ahora debes juzgarme a mí.

FERNANDITA.—¿Yo, señor?

ESQUILACHE.—Mírame. No sufriré la muerte de los héroes: no la merezco. Me quejaré desde Italia, pediré nuevos puestos, lo sé... Soy pequeño. Pero ahora es el momento de la verdad. Acaba de salir de aquí un egoísta a quien la ambición ha perdido, pero dentro queda otro... Esquilache.

FERNANDITA.—¡No es verdad!

ESQUILACHE.—Lo fue... He sido abnegado en mi vejez porque mi juventud fue ambiciosa... Intrigué, adulé durante años... Mi castigo es justo y lo debo pagar. No se puede intentar la reforma de un país cuando no se ha sabido conducir el hogar propio. Nada se puede construir sobre fango, si no es fango. ¡Condéname, Fernandita!

FERNANDITA.—Yo no puedo condenar.

ESQUILACHE.—Pues perdóname entonces, si puedes, en tu nombre y en el de todos.

FERNANDITA.—Si yo tuviera que decir a su merced algo en nombre de todos, no sería una palabra de perdón, sino de gratitud.

ESQUILACHE.—¿Por lo que he hecho? Es muy poco...

FERNANDITA.—Pero ha evitado una inmensidad de dolor.

(Se echa a llorar.)

ESQUILACHE.—¡Fernandita!

FERNANDITA.—¡Lléveme consigo, tenga piedad!...

ESQUILACHE.—No puedo llevarte. Vuelvo a Italia a terminar mi vida con mi esposa y mis hijos. Tu presencia entre nosotros ya no sería posible.

FERNANDITA.—¡Me perderé aquí si no me ayuda!
¡Dijo que me ayudaría! ¡No me abandone!...

(Se echa en sus brazos.)

ESQUILACHE.—Si pudiera... Pero yo he hecho mi ma-
yor sacrificio hoy: sabía que, al dejar España, te per-
dería... Y tú sabes que yo... Tú sabes, Fernandita, que
este anciano ridículo... te... quiere... *(Un silencio. Ha-
bla muy quedo.)* Y sufre al verte perdida en una pasión
ciega... por un malvado.
FERNANDITA.—¡Perdón!...
ESQUILACHE.—¿Por qué? Es la cruel ceguera de la
vida. Pero tú puedes abrir los ojos.
FERNANDITA.—¡No sabré!...
ESQUILACHE.—¡Sí! ¡Tú has visto ya!
FERNANDITA.—¡No podré!...
ESQUILACHE.—¡Tienes que intentarlo!
FERNANDITA.—*(Desesperada.)* ¡No!...
ESQUILACHE.—¿De verdad no quieres que prendan a
ese hombre?
FERNANDITA.—¡No!...
ESQUILACHE.—*(La toma de los brazos.)* ¡Dime qué
puedo hacer por ti! ¿Quieres entrar al servicio del rey?

*(Un silencio. FERNANDITA se separa y de-
niega.)*

FERNANDITA.—*(Sombría.)* Volveré con mi madrina.
ESQUILACHE.—¿Con tu madrina... o con él? *(Un silencio, entrecortado por el llanto de ella.)* Te queda la
lucha peor. Ese hombre no será detenido: tú debes vencer con tu propia libertad. *(Le aferra los brazos.)* ¡Creo
en ti, Fernandita! El pueblo no es el infierno que has
visto: ¡el pueblo eres tú! Está en ti, como lo estaba en
el pobre Julián, o como en aquel embozado de ayer,
capaz de tener piedad por un anciano y una niña...

¡Está, agazapado, en vuestros corazones! Tal vez pasen
siglos antes de que comprenda… Tal vez nunca cambie
su triste oscuridad por la luz… ¡Pero de vosotros de-
pende! ¿Seréis capaces? ¿Serás tú capaz?

FERNANDITA.—*(Llorosa.)* Que el Cielo le colme de
bendiciones…

(Se encamina, lenta, hacia el foro.)

ESQUILACHE.—¿Te vas?… Sí, *è chiaro.* Debemos se-
pararnos ya. Y él está ahí fuera… *(La mira con melancólica fijeza.)* Dispuesto a atraparte para siempre. *(Se
acerca y le toma las manos.)* Dios te guarde, Fernandita. Y gracias por haberme hecho sentir, aunque sea
tardíamente, ¡y con tanta tristeza!…, el sabor de la
felicidad.

> *(Con los ojos llenos de pena, FERNANDITA
> le besa la mano, desesperadamente. Después
> sale, rápida. La puerta se cierra. ESQUILA-
> CHE va al foro, va a abrir: lo piensa mejor
> y baja la mano. Entretanto, DOÑA MARÍA y
> la CLAUDIA salen al balcón. DOÑA MARÍA se
> muestra contenta; la CLAUDIA, triste. ESQUI-
> LACHE suspira y va hacia el balcón, por cu-
> yos cristales mira al exterior con indecible
> melancolía. Por la primera izquierda entra
> presuroso BERNARDO, lleno de alegría.)*

BERNARDO.—¡Doña María! ¡Va a salir un rosario de
Santo Tomás en acción de gracias al rey con todas las
palmas del domingo! ¡Desate la suya y échemela!

DOÑA MARÍA.—*(Mientras desata.)* Pero ¿es verdad
que han echado al hereje?

CIEGO.—*(Voz de, muy lejana.)* ¡El Gran Piscator de
Salamanca, con el pronóstico confirmado de la caída de
Esquilache!…

BERNARDO.—¿Lo oye? ¡Sus mercedes pueden venir también!

> (La CLAUDIA *se echa a llorar y se mete adentro.*)

DOÑA MARÍA.—Bueno, ésta no vendrá.
BERNARDO.—¿Qué le pasa?
DOÑA MARÍA.—*(Suspira.)* Que han matado a su Pedro en la plaza Mayor... *(Le hace pantalla a los ojos.)* Calla. ¿Quién viene por ahí?

> (BERNARDO *se vuelve, y ve entrar a* FERNANDITA *por la segunda izquierda. Ella va a cruzar, pero lo ve y se detiene, trémula. Él se acerca, lento.* DOÑA MARÍA *interrumpe su faena y atiende.*)

BERNARDO.—Si me buscabas, aquí me tienes. Te dije que serías mía y ahora te digo: ven conmigo. *(En la fisonomía de* FERNANDITA *se dibuja una tremenda lucha. Él la toma de un brazo con brusca familiaridad.)* ¡No lo pienses! ¡Soy yo quien te lo manda! *(*FERNANDITA *se desprende bruscamente y retrocede, turbadísima, denegando mientras lo mira con ojos empavorecidos.)* ¿Que no?

> (Ella baja la cabeza y da unos pasos. BERNARDO, *chasqueado, da un paso tras ella.* FERNANDITA *se vuelve y le envía una dolorosa mirada, en la que se evidencia una definitiva ruptura.*)

FERNANDITA.—Adiós, Bernardo.

> (Sigue su camino. DOÑA MARÍA *se encoge de hombros con un gesto de perplejidad.*)

Bernardo.—*(Que se ha quedado mudo de despecho, escupe la palabra:)* ¡Ramera!...

> *(El «Concierto de Primavera» de Vivaldi comienza al punto, mientras* Fernandita *sale y el telón va cayendo. Tal vez parece crearse una recatada armonía entre sus alegres notas y la melancólica figura de* Esquilache, *que no se ha movido.)*

TELÓN

COLECCIÓN AUSTRAL

VOLÚMENES PUBLICADOS HASTA EL NÚMERO 1576

ÍNDICE DE AUTORES

ÍNDICE DE AUTORES

ÍNDICE DE AUTORES

ÍNDICE DE AUTORES

ÍNDICE DE AUTORES

INDICE DE AUTORES